It is almost seven p.m.
on a July evening in Santa Fe,
and the sky is still a bright, azure blue.
I sit on a bench amid trees and flowers.
Birds chirp in the tree nearby.

I can't see them,
hidden in the tapestry of leaves,
but I hear them as clearly as if they are next to me on the bench. Farther in the distance, a raven caws.

Is it communicating with my nearby songbirds,
or is its conversation unrelated?

Farther off, a dog barks.
A light breeze shifts the tall purple flowers by my bench and they rustle against one another as they sway back and forth.
A car passes by, its engine quieter than its heavy wheels crunching through the gravel below.

Julia Cameron
茱莉亞・卡麥隆／著

聆聽之路

The Listening Path

療癒寫作教母帶你聽見自我、以聽療心、寫出能力

張毓如／譯

各界對茱莉亞・卡麥隆及其著作的讚譽

改變的女王。

——《紐約時報》

創意力教母。

——讀者讚譽

寫作藝術女權威。

——讀者讚譽

茱莉亞的書迷肯定會愛上書中簡單又直接的六週實踐。

——《出版人週刊》

《聆聽之路》比《創作，是心靈療癒的旅程》更為深入絕妙，你的感官會增強，訝異自己在聆聽寂靜之聲時發現的一切——你獲得的潛在回報是無限的。

——《*Vogue*》

資深創意力專家茱莉亞轉向聆聽的基本藝術。她寫得漂亮而真誠……這是一本每個人都亟需的入門書，在非常時期讓自己敞開心扉，聆聽他人。

——《書單》雜誌星級評論（*Booklist Starred Review*）

專為注意力集體不足的世界而設計，《聆聽之路》專注於消除雜音，並提供建設性的建言，重新引導人們的注意力，以釋放創意能量……如果這一切對你來說太棒了……那麼你可能需要這本書。

——美國書評網《書頁》（*BookPage*）

如果沒有茱莉亞的書，也不會有後來的《享受吧！一個人的旅行》。

——伊莉莎白．吉兒伯特，《享受吧！一個人的旅行》作者茱莉亞的書聚焦於細緻又複雜的主題，對讀者來說，將能找到激發自己創意力的價值工具。

——國際大導演，馬丁·史柯西斯

如果你始終抱持著創作的夢想，不斷想要沉浸於文字與繪畫，並加以創造，那麼茱莉亞的書將能溫柔帶領你開始，並協助你學習所有專注的技巧，而專注是所有藝術家都該學習並具備的能力。

——安·拉莫特（Anne Lamott），《寫作課：一隻鳥接著一隻鳥寫就對了！》作者

茱莉亞·卡麥隆再次推出佳作。在《聆聽之路》中，她溫柔地引領我們更加了解自己、身處的世界、他人，以及死後的世界，也爲生活帶來更多明晰、連結和愉悅。無論你是資深的創作者或才剛起步，本書都將帶你走向生活中與周遭的寶庫。

——安柏·瑞（Amber Rae），《與其擔心，不如驚嘆》（*Choose Wonder Over Worry*）作者

茱莉亞・卡麥隆曾以《創意，是心靈療癒的旅程》向世界介紹了創作的全新方法，如今更以《聆聽之路》帶領我們進入全新的面向，也就是更加深入聆聽的能力。身爲畢生投入聆聽藝術的學生，我可以告訴你，本書無與倫比，你應該詳加閱讀，並善用書中提到讓人改變生命的內容。

——蓋伊・漢德瑞克（Gay Hendricks），
《跳脱極限》及《你不是運氣不好，是不懂提升好運》作者

推薦序

一切答案都在自己心中

彭樹君

每天早晨，我都是在群鳥的歌聲中醒來。半夢半醒之間，躺在床上，聆聽屋外此起彼落啁啁啾啾的鳥鳴聲，那是當日第一個湧入我的現實意識。

之後，我面對著青山那頭升起的朝陽，在晨光中靜坐，聆聽晨風拂過的溫柔低吟，感受著遠遠近近一些細微的聲音，也感受著自己與整個宇宙的聯繫。

也有些時候，喚醒我的不是鳥聲，而是淅淅瀝瀝的雨聲，那總是會讓我感到內心的水意盎然，彷彿聽見落葉的蕩漾，也讓我的晨間靜心進入更深的寧靜。

這世界充滿各種訊息，當我們靜心聆聽，就會聽出那些訊息與自己內心的呼應。在茱莉亞·卡麥隆這本《聆聽之路》中，她提到六種聆聽：聆聽周遭環境、聆聽他人、聆聽高我、聆聽逝者、聆聽我們的英雄，以及聆聽寂靜。聆聽將我們帶入當下，同理別人，並且得到直覺的指引。聆聽也讓我們與更廣漠無窮的世界相連，發現自我內在更大的力量，也更深刻地感覺到一切萬有的存在。因爲聆聽，我們發現外在天地的遼闊，也看見內在宇宙的無限。

聆聽者與被聆聽者之間會形成一種親密關係，當我們專心聆聽他人時，毋須多說，就已給予對方全然的支持，因爲那樣的陪伴與共感，療癒因此發生。從另一個角度來說，可以放心地對一個人傾訴，那是一種信任，一種交託，所以許多時候，我們也需要被好好地聆聽，那會讓我們知道自己是被理解的，是被承接的，是被愛的。

聆聽是一種愛的藝術，一種共情的能力，也是一種內在的態度，那需要專注，唯有全心全意地聆聽，我們才能明白種種訊息之中更深刻的涵意。在聆聽之中，我們與更高的意識接軌，對人生有了更透徹的洞見，也更能體會自己並非孤單的存在。當我們聆聽別人的時候，其實也在聆聽自己內在的聲音，而在我們聆聽世界的時候，也就更認識了自己。聆聽讓我們感知自己與萬事萬物的合一。

《聆聽之路》是爲期六周的書寫練習，以六個步驟的聆聽爲導引，去感受外在，並深入內在，然後藉由書寫來展現並培養感知力、洞察力與創造力。本書英文原名爲「The Listening Path」，「path」是小徑之意，而小徑總是適合一個人獨自前行。也正因爲是小徑，所以要慢慢走，從聆聽自己所置身的環境，走到聆聽無聲之聲的寂靜，每一步都是覺知，每一步都走在當下，這是一條往自己內心走去的途徑。

同樣身爲文字創作者，我有幸爲療癒寫作教母茱莉亞・卡麥隆的這本新作寫推薦序，在閱讀未付印書稿的時候，我一再發現本書與我的靜心寫作書《相信今天會有好事發生：書寫中的心想事成》殊途同歸，都是靜心與書寫的相輔相成，也是文字與人生的共情共感。我們都主張手寫，也都強調散步對心靈與創意的正面影響；我們亦皆有感於在寫下心中的願望之後，宇宙總會給予回應。而且，茱莉亞・卡麥隆所教導的「晨間隨筆」，與我的寫作練習「晨光書寫」尤其是不謀而合，這樣的共振讓我覺得喜悅又親切，彷彿聽見自己內在的回音，同時也讓我知曉，在某個深刻的連結上，自己的心靈正在被宇宙專注地聆聽。

聆聽之路就是一條靜心的途徑，在這條道路上，把自己交給一本筆記簿和一支筆，寫下對於外在的觀察，也寫下流過心中的吉光片羽，這是一個自我陪伴的過程，也是一個累積能量的實踐。

如此，我們在書寫之中更深刻地認識了自己，發現內在的無窮無盡，並且懂得所要的一切其實都不假外求；於是我們都將明白，所有的答案都在自己心中，而我們要做的，只是靜下心來，好好聆聽。

（本文作者為作家、《相信今天會有好事發生：書寫中的心想事成》作者）

獻給喬爾・佛提諾斯（Joel Fotinos），
謝謝你聆聽我的夢想

目錄 CONTENTS

各界對茱莉亞·卡麥隆及其著作的讚譽 ／003
推薦序 一切答案都在自己心中 *彭樹君* ／007
前言 聆聽的生命轉化力 ／015
三大基本工具——晨間隨筆、藝術之約、全心漫步 ／019

第 1 週：聆聽環境 ／065

不只聆聽我們喜歡的，也聆聽我們避免的環境之音。
聆聽才會留意到要改變什麼。
比如「鬧鈴聲」「吱吱響的風扇聲」「開門聲」其實很吵、很不舒服，我們卻因爲習慣了而不去改變。第一週就要你記得時時問自己：「這個聲音聽起來愉悅嗎？」

第 2 週：聆聽他人 ／099

如果你不打斷旁人的思緒，他們的表現會是非常有趣的，經常說一些讓你感到驚訝的話。
有時，你要心懷好奇與感恩，聆聽那些專注聆聽你的人；有時，你也要察覺那些不想聽你說話的人。一旦你發現了，就不要浪費太多時間在這樣的人身上，懂得適時轉身離開。

第 3 週：聆聽高我 ／179

我教寫作時發現一個常見的現象：雖然做生活大小決策的人是我們，但大多時候人們都習慣向他人尋求指導，卻很少向自己尋求建言。
我們沒有意識到自己可能是明智的，所以很難相信從內在來的指導。
猶如邀請一位年長和更聰明的自我來指導，我們得到的可能會讓自己感到驚訝，因爲往往比我們的正常思維更簡單、更直接。
面對麻煩問題時，也許你可以試著先問問自己。

第 4 週：聆聽逝者 ／227

把死亡看成生命的終結，就像把地平線看成海洋的盡頭。
透過練習，你會聽見你很愛很愛、但已逝之人的聲音，他們擁有與你不同的智慧，可以成爲你的嚮導。

第 5 週：聆聽英雄　／241

本週要練習向我們心目中的英雄人物伸手求援。
我們常常希望自己能遇到一個人，像是動畫師可能希望遇見華特・迪士尼。
你會發現，有了一點開放性和想像力，我們也許能夠比自己想像的更容易且更親密地與這些英雄人物建立連結。

第 6 週：聆聽寂靜　／257

你有沒有發現？
聆聽（Listen）這個字包含了跟寂靜（Silent）相同的字母。
在最後一週，我們將有意識地聆聽寂靜之聲與其中價值。
學習如何在生活周圍刻意創造寂靜，以及如何從中獲得洞察力。
學習寂靜帶給我們什麼——以及沒有聲音創建的其實不是孤立，而是更深層的內在連結。

後記　和我一起沿著聆聽之路旅行　／273
誌謝　／277

前言

聆聽的生命轉化力

七月的某天傍晚，時近七點，聖塔菲的天空依舊明亮而蔚藍。我坐在花與樹之間的長椅，聽著臨近樹林裡的鳥兒鳴唱。躲在織錦般樹叢中的鳥兒只聞其聲，不見其形，清亮的歌聲彷彿佇立在長椅邊對我歡唱。遠處的烏鴉啞聲叫著，不知是和我附近的鳥兒交談，或者只是自說自話。更遠處是狗的吠叫聲。微風吹動長椅旁高挺的紫花叢，花朵迎風搖曳，因爲互相摩擦而沙沙作響。一輛汽車駛過，引擎聲比車輪碾過下方礫石的聲音更安靜。遠處的快速道路傳來喇叭聲。鳥兒振翅飛向天空、滑翔，然後消失無蹤。附近歌唱的鳥兒放慢聊天的速度，但歌聲仍未停歇，在我頭頂的綠意中悅耳地交談著。之前的聲音聽起來像是鳥兒全都同時說話，現在似乎開始輪流發言。牠們是否在聆聽對方說了什麼？

什麼是聆聽？在日常生活中，對人們又有什麼意義？我們聆聽環境，無論是鳥兒歌唱或是城市喧囂；又或者不聆聽，置若罔聞。我們聆聽別人說話，或者但願他人能更善於聆聽。我們聆聽本能、直覺、對自己的指引，或者但願能更清楚且更常加以聆聽。

聆聽之路要我們找到周遭各種日常線索，花時間停下來並了解花在尋找那些線索的片刻，尤其是認定「我沒有時間」的片刻，其實並不費時，反而給了我們時間思考，變得更清晰、更能與人連結、掌握方向。聆聽是我們原本就會做、也可以更常做的事。若能更善於此道，人生也會跟著改善。溫柔的聆聽之路讓你沿途帶著工具，變成更好的聆聽者，無論對象是環境、夥伴，或是自己。

這本書將引導並鼓勵讀者更仔細、更深入地聆聽。只要開始聆聽，就會變得專注，最後的報償一定能夠療癒人心。聆聽之路帶領我們走向自癒、洞察、明晰，也帶來喜樂與觀點。更重要的是，讓我們能與人連結。

通往深度聆聽的道路

在未來六週，你將接受引導，逐一在各個階段擴展自身的聆聽能力。每一種形式的聆聽都能成就下個階段的你。如果能帶著覺知努力聆聽，並且保持專注，過不了多久，就能讓聆聽深化。本書將引導你在生活中一再深化這種能力，無論你是忙碌或悠閒、在鄉村或城市。

我們無時不刻在聆聽，方法各式各樣。我們聆聽環境，當用心聽那些平常習慣忽略的聲音時，會帶來驚喜：樹上的鳥兒讓我們陶醉，掛鐘的答答聲讓我們感到穩定與舒適，寵物狗在喝水時狗牌發出的叮噹聲，提醒我們對牠的承諾。

我們聆聽他人，並學習更仔細地聽。若能眞心做到，就會聽到對方一定要說出口的話，並因爲這樣的洞察而感到驚喜。若能不打斷對方，讓對方得以多加思考如何表達，不急著把話說完，就能了解，其實我們無法介入對方想分享的內容。你也會因此發現，只要有機會，陪伴他人得到的比你原本期待的更多且更不同。

我們聆聽自己的高我，並藉此走向指引和明晰之路。不會拚命想理出頭緒，而是聆聽與放下。我們毋須費力，只希望能夠正確地聆聽。高我對我們訴說的話語聲平靜、清楚，且直言不諱。當洞察來臨時，全然接受，對那些以想法、預感和直覺形式出現的單純念頭深信不疑。

練習聆聽高我的階段完成，就會迎來更深層的聆聽，也就是抵達死後的未知世界，聆聽那些去世的親人或好友。我們會找到獨特且個別的方式，保持與他人的緊密關係，也能更深入地放鬆探索和擴展。

下一個階段則是學習聆聽我們的英雄，也就是那些我們還不認識但希望能夠遇見的人。

最後，我們學習聆聽寂靜。在過程中可能會發現指引的最高形式，帶領我們循序漸進。

聆聽之路是極其珍貴的經驗，讓我們與周遭、自我、摯愛和其他珍視的對象更能保持連結。

開始聆聽吧。

三大基本工具——晨間隨筆、藝術之約、全心漫步

我開設主題為「藝術家之路」的工作坊已長達四十年，見過無數學生打通創意思考並蓬勃發展，表現領域遍及出版書籍、創作劇本、開設畫展，以及重新裝潢家居。我也見過學生在工作上搭配工具，達成顯著而持續的改變，變得更快樂且更親切。許多人的關係因此修復並改善，必須結束的關係也得以順利結束。人們在工作時能敞開心胸合作且富有成效。

如果能夠對自己更誠實，就能對別人更眞誠。只要更溫柔對待自己，就能夠溫柔對待他人。如果更勇於嘗試，就能激發他人勇於嘗試。

我開始相信，這些改變之所以發生，是因為學生藉由使用這些工具成為更好的聆聽者，一開始是對自己，然後是對他人。聆聽之路帶著這樣的觀察往更深處探索，找到所有創意和關係的根源，那就是聆聽的能力。

我運用一套基本工具：晨間隨筆、藝術之約，以及全心漫步。每樣工具自然都奠基於聆聽，並各自以特定的方式增進聆聽技巧。

進行晨間隨筆時，我們就像是自身經驗的目擊者，在每天早晨聆聽自己，並在接下來的一天中爲更深入的聆聽做好準備。

進行藝術之約時，我們聆聽內心中那個渴望冒險、又充滿有趣想法的年輕的自己。我們邊走邊聆聽環境、高我和那些更高的力量，我和學生總會有茅塞頓開的感受。

多年來我筆耕不輟，人們若問起我是怎麼做到的，答案都是聆聽。他們有時會認爲我能言善道，其實不然，我只是以自己所知最精確的方法來形容我的寫作程序。**寫作是主動聆聽的一種形式**。**聆聽讓我知道該寫些什麼**。最好的情況是，寫作就像口述紀錄。我們聆聽內在的聲音，清晰、平靜又受到指引。這樣的聲音成竹在胸，一字一句娓娓道來，抽絲剝繭我們綿纏的思路。

只要專注在有意識的聆聽上，就能看見聆聽之路，而這條道路建造在聽到的內容上。當我們聆聽，精神就會受到引導。聆聽浮現的眞實，就對自己更加眞誠。當眞誠變成常態，就能一瞥靈魂之所在。

「要忠於自己。」莎士比亞如是說。誠實面對自己時，也能更誠實面對他人。聆聽之路帶領我們與他人連結。聆聽之路爲大家共有，我們在路上和環境、友伴與自己相遇。

聆聽之路來自眞誠，因此也是心靈上的道路。爲了個人的眞實而聆聽時，也會因此聽到普遍的眞實。我們開發了可稱爲「通情達理」的內在資源，只要更加努力地眞心聆聽，就會發現自己更眞誠；只要循序漸進，就能訓練自己往眞誠的道路前進。很快的，這一切就會變得自然而然。

聆聽的習慣需要養成與練習，開始的方法很簡單，你可以像我一樣每天持續練習。怎麼開始呢？那就是一早起來就練習晨間隨筆。該怎麼做呢？

晨間隨筆：清掃你意識角落的小掃帚

晨間隨筆必須每日練習，一起床就開始寫，想到什麼就寫什麼，一次寫三頁。我和許多人幾十年來都保持這個習慣，並認爲這是練習聆聽的最有利工具。晨間隨筆的內容包羅萬象，從細瑣到宏偉，沒有什麼不能寫。「我忘了買貓砂」

「我沒回電給妹妹」「我的車發動時聲音很怪」「傑夫盜用我的構想，讓我覺得很討厭」「我感到疲倦又煩躁」。

晨間隨筆就像是戳進意識角落的小掃帚，說著「這是我喜歡的……這是我不喜歡的……這個我希望多一點……這個我希望少一點……」。隨筆的內容很私密，訴說了眞實的感受，無從逃避。我們告訴自己感覺「還好」，然後告訴自己這代表什麼意思。「還好」是「沒那麼好」，或是「夠好了」？

晨間隨筆私密又個人，僅供自己閱讀，不必展示給任何人看，無論對方和你有多親密。我建議寫作時使用紙筆，而非電腦打字。用手書寫讓我們擁有手作的生活感。用電腦代筆雖然速度更快，但在此要追求的不是速度，而是深度與獨特，精確記下我們的感受及緣由。

手寫下的內容讓我們無從否認，因而了解自己眞正的想法並感到驚喜。

「我要辭職！」我們可能會這麼說，或者：「我的感情生活需要多一點火花。」這樣的話促使我們付諸行動。看似「夠好」的事不復以往。先是承認我們值得更好的，接著就承認自己的惰性：容易妥協，但又因此懊悔。了解後就可以將之拋諸腦後。

隨筆也是一種書寫式靜心，寫下意識流轉時產生的念頭。然而，隨筆不同於傳統的靜心冥想會讓人付諸行動，不將個人的擔憂透過靜心拋開，而是在寫下的過程中直接面對問題：「關於這件事，你打算怎麼做？」

隨筆迫使我們面對問題，不允許敷衍或逃避。隨筆帶領我們勇於承擔與冒險。當你寫著寫著，初次浮現付諸行動的想法時，可能會想：「我做不到！」但只要繼續寫作，再次浮現行動概念時，可能會想：「也許我做得到。」隨著持續寫下去，想法有一天就會變成：「我相信我會試試看……」只要願意嘗試，就會發現其實經常成功。

可能會出現「我知道你做得到」這樣的誇讚。隨筆是夥伴，見證了我們的生活。有困惑時，問題就躍然紙上。隨筆幫助我們釐清自相矛盾的想法，寫下：「我覺得需要結束這段關係。」然後又寫下：「或許我應該試著不怕衝突地和別人對話。」透過書寫嘗試討論，並對結果感到滿意。

晨間隨筆充滿睿智，讓人得以利用自身的智慧，找到內在資源，解答各式各樣的問題。我們的直覺感增強了，對於之前感到困惑的事也能發現意料之外的解答。有靈性傾向的人開始論及神，他們說，神會爲我們做那些做不到的事。無論心裡認爲幫助自己的人是神或只是隨筆，都稱得上突破。生活開始變得平順，也感到有所依靠。

「你還在寫晨間隨筆嗎？」我詢問一位二十年前和我一起教書的同事。

「只要遇上麻煩，我就會寫。」他回答。

「如果你規律地寫，就不會遇上麻煩。」我忍不住輕斥他。

但這就是我長達四十年來累積的經驗——晨間隨筆能夠避免困境。麻煩靠近時，隨筆會提醒我們。隨筆無所畏懼，毫不遲疑提出令人不快的話題。當戀人與你漸行漸遠，隨筆會提及這個令人不安的話題，提醒你們開啓難以啓齒的話題，雖然冒險，但有所收穫，你們因此修復了親密關係。

晨間隨筆就像心靈導師，施展了我所謂的「靈性按摩」，帶領我們往正確方向舒展、成長。喋喋不休的人學會不發意見，膽小如鼠的人開始發聲。我們也一如往常朝所需的方向前進。隨筆的洞見與適應力無從解釋，但從不出錯，猶如手段強硬的朋友，直接指出我們逃避的議題。

我曾收過一封信，信中寫道：「茱莉亞，我在澳洲內陸快樂地喝著酒、醉茫茫，接著開始進行晨間隨筆。現在我很清醒……」

酗酒、過重、共依存症——都可以交給晨間隨筆處理。隨筆輕推著我們往正確方向前進，若是不成，力道就會加重。隨筆斷絕了拖延。爲了不再讓隨筆點出問題，我們於是按照該走的方向前進。

一位加拿大女士寫信來說：「我從來沒有寫日記的習慣，但晨間隨筆讓我極感興趣。」她因此開始進行，不出幾週就有收穫。傳統的日誌會訂下主題，例如：「我要寫我對另一半佛萊德或母親的感受」，但是隨筆的結構與形式自由，不限定在同一個主題，行文跳躍也沒問題。這位加拿大女士觸及之前未曾討論的話題，並在各方面有所洞察。

隨筆內容可以宏觀或微觀，通常兩者兼具。我們因爲「一點小事」感到困擾，卻在深入書寫之後發現那只是冰山一角。個人對事件的感受很重要。先是寫下「我覺得」，之後又寫下「我眞的覺得」，層層深入之後，跟自己變得親密。我們發現隱藏的自我，而這樣的發現讓人激動。

認識自己令人興奮，隨筆因而讓人欲罷不能，因此而開創的聆聽之路絕不無趣。一開始宣稱「我的生活很無趣」的人，很快就發現他們的生活有趣到令人目不轉睛。經過檢視的生活變成豐富的資源。「我不知道自己會有那樣的感覺」是認識自己後經常會出現的句子。

「茱莉亞，我從這幾週晨間隨筆學到的，勝過我數年來做的心理治療，」一位實踐者這麼說，因爲隨筆讓他看到了何謂「未設防的自己」。榮格心理學告訴我們，人們剛睡醒的四十五分鐘，防衛心尚未就緒。因爲毫不設防，所以會吐露眞相，而眞相也會隨著自我對事件詮釋的版本而有所不同。若能聆聽且記錄眞實感受，就會習慣眞實。我們揭穿「我可以接受」來顯現其實自己根本無法接受。只要發現眞實感受，就會發現眞實的自我，而那些自我讓人深深著迷。

「茱莉亞，我愛上自己了！」是一句經常帶著驚奇語氣的讚嘆。是的，隨筆教我們學會愛自己。接受每個浮現的念頭，也因此學會接受自己的各種面貌。聆聽各種想法，就會迫切期待接下來發生的事。每個新念頭都能揭露另一個層面的自我，每一層都能讓我們變得更加可愛。

對任何想法來者不拒，歡迎所有浮現的念頭，而這種態度正是聆聽之路的基石。漸漸的，每個話語和念頭都轉化成洞見與概念，並且被接納，而不是讓人不屑一顧。「我覺得煩躁」和「我覺得棒極了」都能造成同樣的影響，而灰暗的念頭和光明的念頭也有同樣效果。我們接納各種情緒。

練習造就聆聽之路。我們「聆聽」想法和下個想法，但是聽到的「心靈深處的呼聲」（still small voice：譯注：出自《聖經》）並不清楚，一開始會讓人以為聽到的「只是想像」。但是這樣的聲音真實存在，就像神靈與我們的關係真實存在一樣。如果我們要求保證，會聽到：「不要懷疑我們的關係。」於是我們繼續聆聽，也因此開始相信指引。晨間隨筆變成可信的資源，一開始覺得難以置信的，過了一段時間後變得值得信賴。

寫下的事就在生活中真實上演

晨間隨筆就像開著遠光燈駕車，讓人「看」得更前面，比平常的近光燈視野更遠、更清楚，潛在的阻礙也一覽無遺。我們學會躲避麻煩，隨筆也幫助我們找到機會。當找到隨筆傳達的線索，「運氣」也會跟著變好。

「我從來不相信超感官知覺，」我最近收到的一封信中指出，「但是現在我認為真的有。晨間隨筆真不可思議。」這「不可思議」的本領經常表現在同步發生某些事。我們在隨筆中提及某事，而那件事就在生活中眞實上演。願望不再只是想像，「提問、相信、接受」變成意識中可行的工具，寫隨筆時的我們變得直言不諱。我們寫下眞正的願望，而宇宙也加以回應。

「我以前從不相信心裡想的會在眞實世界同步發生，」一位懷疑論者說：「但現在我信了。」

我也是。

我曾經在隨筆中寫下自己渴望拍電影，兩天後在晚餐聚會中，我竟然坐在電影製片人身旁。此外，他也教授電影製作。我告訴他我的夢想，他說：「我還有一個工作人選沒決定，如果妳想要，這工作就是妳的了。」我的確想要，也在下一次隨筆記錄了我有多感謝。

雖然隨筆的內容包羅萬象，想寫什麼都可以，感激之情仍是一片沃土。在隨筆中計算得到多少賜福，讓更多感謝可以被記錄下來。如果覺得「我沒有什麼好寫的」，可以把視線轉向正向事物，列舉獲得的大大小小賜福。清醒的酗酒者可以說：「感謝我保持清醒。」身材穠纖合度的人可以感謝能保持健康。每個人都有可以感謝的事物。聆聽之路細數無數個値得感謝的原因。專注在正向事物會產生樂觀心理，而這也是聆聽之路主要的成果。若是想不到該寫些什麼，可以練習刻意從負面心態轉移到正面心態。所有的生活都有可謝之處，即使微乎其微。

「我很感謝我還活著。我很感謝我在呼吸……」生命本就是奇蹟，而我們因了解這個事實爲生命喝采。

「你們要休息，要知道我是神。」《聖經》如此指示。當我們練習聆聽，會感受到一股善意觸及意識，讓人感到有所歸屬。隨筆就像見證這世上存在與我們互動的宇宙陪伴，知道自己不再孤單。我最近將這件事轉化成語言：「針對我的禱告所給的答案是什麼？知道我在那裡並聆聽我的神。」召喚「聆聽的神」並非傲慢，而是靈性的練習。寫作能改正世界觀，讓原本充滿敵意的世界變得仁慈。聆聽讓我們受到仔細且正確的指引。

時間只會越寫越多

晨間隨筆的練習很快就能發展成習慣。科學家宣稱只要持續九十天，就能養成新習慣，但隨筆變成習慣的時間遠低於科學家的說法。身爲導師，我發現二至三週就會出現轉折點。投資的時間很短，卻能獲得極大報酬。隨筆的習慣帶領我們走上靈性的道路，而那條聆聽之路不僅帶領我們，也保護我們。

我的同事馬克．布萊恩（Mark Bryan）將隨筆練習與美國太空總署發射火箭相比擬：**每天寫下隨筆的改變看似微小——只讓日常生活偏移了幾度。時間過去，那些偏移的角度可以讓原本降落在金星的火箭改為降落在火星。原本微小的差距能帶來巨大的改變。**我最近舉辦簽書會，快結束時有位男士來到桌前，「我想要感謝妳，」他說：「我寫了二十幾年的晨間隨筆。在這段期間，我只休息了一天，因為那天我動了冠狀動脈繞道手術。」

我在必須早起出遠門的某些日子也會略過晨間隨筆。當我到達目的地，會補寫「晚間隨筆」，但這兩者並不相同。晚間的寫作僅能回顧已成過去的一天，並無力改變。晨間隨筆可以清楚看出當天的計畫，「晚間隨筆」則只能記錄當天的行程是否完成。以後見之明看到當天許多原本可以更有生產力的「抉擇點」，而我卻糟蹋了這一天。

晨間隨筆很樸實，盡全力將手邊擁有的時間做最有效率的安排。「隨筆讓我多出了許多時間，」一位女士最近告訴我，「看起來很花時間，其實反而給了我時間。」我很熟悉這樣的悖論。我每天早上花四十五分鐘寫作，但一整天卻得到許多「多出來的時間」。我根據輕重緩急來安排行程，把時間眞正變成**我的**時間。

有了隨筆，就能更有效率地度過每一天，減少那些我稱爲「心靈雪茄的休閒時間」，那些我們長久停止思考接下來要做些什麼的時間。因爲按時寫晨間隨筆，就能夠順利進行一個又一個活動。「我可以做什麼？」我們思考，不再拖延。我們的確「做了什麼」，以對自己最好的方式善用時間。

我有時會說，晨間隨筆是抽離共依存症的激烈手段，因爲我們花更多時間在自己而非他人身上。令人驚訝的是，人們竟然花了那麼多時間和注意力在「取悅別人」。當我們抽回精力專注在自己，就會發現，突然之間，我們想做什麼就做什麼。許多人花費時間成爲別人的電池，努力完成別人的夢想，卻忽略了自己。有了隨筆在手，夢想也伸手可及。只要依照隨筆給予的提示循序漸進，夢想就會成爲現實。

「茱莉亞，多年來我都想開始寫作，但未能做到。後來我開始寫晨間隨筆。妳看，我完成了小說。希望妳會喜歡。」我得到了一本書。

我經常強調，對我來說，教學就像是拜訪花園。我總是收到書、影片、光碟、珠寶。人們使用我的工具，而創造力的種子就此開始萌芽。

「我導了一部劇情長片。」一位演員歡欣鼓舞地告訴我。

「這要歸功於晨間隨筆。」我為他的夢想成真感到無比開心。

繼續寫就做得到

有了晨間隨筆，我們敢於聆聽並清楚表達夢想，說出以前無法說出口的真心話。那位成功的演員夢想成為導演；一位廣告文案員渴望創造小說。

看起來華而不實的想法，透過隨筆，突然變得可行。我們受到鼓勵而勇於嘗試，也因為如此，嘗試會更多元、更深入。我們來到適合容納自己的尺寸空間，靠的不是裁減，而是擴增。我們曾經害怕表現得「太過自以為是」，現在卻能擴展自己，而非緊縮。以南非人權之父曼德拉的話來說，我們終於了解，自己曾經害怕的真實能耐其實是更好，而不是更差。

我們開始看見，「天空才是極限」，而天空廣闊又明亮，而非多雲又陰暗。「我希望我可以」變成「我認為我可以」，就像經典兒童繪本《小火車做到了》裡的小火車一樣勇於挑戰。當我們能夠變得更有能耐，可能會遭到你重視的親友抗拒，因為他們習慣比較微小的我們，但很快就能適應。好消息是，隨筆具有感染力，你重視的親友看到隨筆帶來的改變，或許也會開始仿效。

一位資深表演老師告訴班上的學生，成功的表演關鍵在於聆聽。晨間隨筆訓練我們聆聽。「你們要追求的，」老師繼續說，「是成爲一條通道。」他在空中畫出一道弧線，勾勒出聆聽之路的輪廓。「讓能量穿過我們。」他解釋。

實踐晨間隨筆讓注意力得以創意發揮，成爲藝術。我們對每個正確念頭提供的線索有所警覺，「聽見」想要來到我們面前的話語，體驗成爲管道的感受，就像讓能量穿過的蘆葦。

狄蘭·湯瑪斯（Dylan Thomas）寫下〈透過綠色引信點燃力量而生出花朵〉（*The force that through the green fuse drives the flower*）一詩，談論創造力的能量，也就是寫下晨間隨筆時經驗到的能量變化。只要豎起內在的耳朵「接收」，就能收到微弱的訊號，寫下這些訊號就能記錄靈性的道路。我們受到指引，一字一句抄寫下需要知道和執行的事物。學會放下審查，說「謝謝分享」，並繼續寫下所聽所聞。

放下審查的技巧可以轉移到其他領域。我們在實踐各種形式的藝術時，心中都會浮現審查和步驟，這時只要在心裡說「謝謝分享」，之後就能擺脫完美主義心態。隨筆訓練我們相信創意的衝動，習慣之後就像排列鐵軌一樣，得以依序寫下字句。我們學會相信每個字詞都很完美，不只夠好，而是更好。曾經理直氣壯地以為是在傳達眞實之聲的完美主義，從此抗議無效，變成隱約出現的微弱哭聲。完美主義變成討厭鬼，而非暴君，每完成一頁，就讓它的哭聲變得更小。雖然無法完全去除完美主義，還是能大幅減弱它對你的影響力。

我教書時帶過一次完美主義練習。「一共十題，」我告訴學生，「我現在給你提示，你就填滿空白處。準備好了嗎？開始。第一題：如果我不必完美做到這件事，我會試著……第二題：如果我不必完美做到這件事，我會試著……第三題：你會看出一個趨勢。如果我不必完美做到這件事，我會試著……第四題：如果我不必完美做到這件事，我會試著……繼續回答同樣的問題，一直到第十題。」

阻撓了十種因爲完美主義而出現的衝動之後，學生就會開始思考：「其實我可以試著……」有史以來第一次，他們看到自己的完美主義不過是妖怪。藉由聆聽及列出自己的夢想，就離開始嘗試更靠近一大步。

晨間隨筆讓我們擴展自己，聆聽心中的渴望，也聽到內在聲音說：「或許我可以試試看那件事。」我們拋開負面增強，擺脫那個告訴自己「不，我絕對做不到」的邪惡低語。眞相是「我們做得到」，你也可以這麼對自己說。

我們可以做到的，比恐懼讓我們相信的還要更好。完美主義是以漂亮禮服裝扮自己的恐懼。我們害怕自己看起來愚笨，所以畏縮不前，告訴自己這麼做才明智。但其實畏縮不前一點也不明智，反而剝奪了我們創造的喜悅。我們否認人類有創造的需要，也想要實現夢想和渴望。畏縮不前阻撓了眞實的本性。我們想要創造，想要回應對我們悄聲說「你可以去嘗試看看」的話語。

寫開一扇未知的門

聆聽之路需要注意力，因爲說出夢想的聲音通常輕柔得像悄悄話。只要用心聽，聽覺就會變得更精確。每天的晨間隨筆教導我們領略注意力的藝術，只要聆聽每個冒出的念頭，就會開始相信自己的感知，而每個字詞都標記了當下的感知。如果整體看待這些字詞，它們就成了靈魂的備忘錄：只要留意展現出來的語句，就等於關注了人生的敘事。人生以不同的型態展現，不再黑白，而是豐富多彩。只要我們留心夢想，就會有更多的夢想一一展現出來。好好檢視人生，會發現值得檢視。

晨間隨筆開啓了一扇門。然而在此之前，人生對我們而言是未知領域。我們的感覺從詭祕變得清晰，知道自己有什麼感覺、原因是什麼，並且用更寬廣的格局來考量萬事萬物。

聆聽之路告訴我們該知道的事，不致受到意外驚嚇。因爲直覺變得敏銳，更能感應到事情接下來的發展。朋友會談起我們看來凡事都能大獲成功，然而其來有自，這是進行晨間隨筆所收穫的果實。我們開始倚賴晨間隨筆作爲早期的預警系統，也開始察覺疾病的幽微線索。過了一段時間，這些線索變得像第六感，讓我們開始留意一些「難以解釋的感覺」，並認眞看待。

走在聆聽之路上，我們相信自己很安全，麻煩來臨前總會收到警告。我們相信會有某種仁慈的存在爲我們著想，透過隨筆對我們說話。我們的預感成眞，變成可靠的指引，從此更相信直覺。

「試著做這件事，嘗試那件事，」隨筆如此建議，若能遵循，就會發現這些指引的效果。收到新穎的指示，也會跟著發現新領域很有意義。隨筆驅策我嘗試作曲，「妳會寫出優美的歌曲。」它這麼說。

「但我不是音樂家，」我抗議道。直到我試著譜寫樂曲，並發現自己眞的寫出動人的歌。如今我授課時，會讓學生唱其中一些歌。他們是被愛的，我也愛聽他們唱。當我告訴他們這些歌是我寫的，我能感受到他們的驚訝。他們不知道我有這項天賦，而我也是透過晨間隨筆才有所領悟。

我們大都認定自知天賦何在，並堅信除此之外別無其他，也無法改變。然而，進行晨間隨筆之後，會發現自己比原以爲的更有創意。我原以爲音樂非我所長，卻發現自己有天賦。相同的情況可能是，一位稱不上作家的人發現自己擁有寫作長才，或者一位非藝術家找到藝術才華。天賦可能有很多，通常出乎意料之外。「但是，茱莉亞，我們怎麼可能不知道？」學生有時會問，而我會以自己的案例作爲回答。出生於音樂世家的我，成長過程中沒有接受音樂教育。在家人眼中，我是作家，不是音樂家。當我從晨間隨筆中得到建議去嘗試音樂時，我認爲這根本是胡說八道，直到開始嘗試。

家庭神話有其力量，其力量之大，以至於當我告訴音樂家哥哥，我正和一位作曲家合作，並演奏了幾首曲子時，他回答：「這傢伙很有天賦。」但是當我坦承其實我就是那位作曲家時，我哥哥說：「最後一首曲子還可以。」

這個故事展現出家庭制約的力量。我親愛的哥哥就是不能相信我有音樂天賦，連我自己都很難相信。如今，儘管隨筆確認我的天賦，我也創作了三齣音樂劇和兩張兒歌專輯，在說出「我是音樂人」時還是難免吞吞吐吐。

每個人都需要一面「相信鏡」

我認爲晨間隨筆扮演了我所謂「相信鏡」的角色，反射出對自我潛能的信任，既樂觀又正向。它相信我們的優勢，而非弱點。每個藝術家都需要相信鏡，而這面鏡子並非單指晨間隨筆，也包括人。

我授課時，要學生列出三面相信鏡，也就是那些和隨筆一樣，經常給予鼓勵和支持的人。相信鏡對創意的成功表現至爲關鍵，畢竟，一次成功會帶來另一次的成功，而慷慨也會造就成功。當我們找到自己的相信鏡時，也能更有意識地加以使用。我的朋友中就有人擔任這樣的角色，他們是傑洛德、蘿拉、艾瑪和索妮雅。我把初步完成的作品讓他們過目，因爲我知道他們很「安全」。他們的支持和鼓勵讓我得以繼續創作。他們就像晨間隨筆一樣扮演了啦啦隊的角色。當我完成小說《莫札特的鬼魂》（*Mozart's Ghost*）時，滿心期盼能出版成書，然而一位又一位編輯告訴我的經紀人：「我愛茱莉亞的小說，但是沒辦法說服公司出版。」我的希望破滅。

無論這些拒絕是否可說是功虧一簣，它們就是拒絕。當我持續收到拒絕，信心也隨之消散，但我的朋友索妮雅·喬奎特（Sonia Choquette）繼續當我的相信鏡。「妳的小說很棒，」她堅持，「我相信它能夠出版。」索妮雅的信任支持我一再寄出稿子。隨著每次失望，我告訴自己，「索妮雅認爲這本小說很棒，相信它能夠出版。」我的晨間隨筆也熱情地表示樂觀。受到鼓舞的我繼續努力，經紀人蘇珊·勞霍夫（Susan Raihofer）也無畏地一再勇於嘗試。經過一次又一次的努力，終於在送出稿子給第四十三家和第四十四家出版社時，獲得了肯定的答覆。我們選擇了第四十三家：聖馬丁出版社。

我相信，如果沒有晨間隨筆和索妮雅，我一定會放棄。我的相信鏡幫助我走過如此漫長的道路，很高興我成功了。「妳的小說很棒，」讀者告訴我，他們的看法跟索妮雅一致。我很感謝索妮雅和我持續書寫。相信鏡給了我們耐性和樂觀，對創意的成就至爲關鍵。**「繼續堅持下去」是晨間隨筆的咒語。「別在奇蹟發生的前五分鐘停下來。」不會錯的，晨間隨筆會製造奇蹟。**

「我進行晨間隨筆是因爲它很有用，」一位持續二十年的實踐者說。「我進行晨間隨筆是因爲如此一來，我就掌握了一天，而不是讓一天掌控我。」

「在晨間隨筆中許願，很多時候願望都能實現。」另一位信徒主動提出。「我開始晨間隨筆時，是個理想破滅的古典音樂提琴手，」艾瑪．萊弗利（Emma Lively）補充說明，「晨間隨筆說服我試著作曲。現在我已是作曲家。」

「我也是，」另一位實行者說，「我曾經很嫉妒劇作家，但現在我就是。」

晨間隨筆很簡單，卻很戲劇化，讓我們成爲想要成爲的人。還有什麼比這更好的事？

試試看

把鬧鐘設早四十五分鐘，起床後直接開始進行晨間隨筆。把心中想到的任何事寫下來，寫完三頁就結束。歡迎來到晨間隨筆的世界，這是通往聆聽之路的大門。

藝術之約

藝術之約是訓練注意力的工具，「藝術」與「約會」都是重點。簡單來說，藝術之約是一週一次的單獨探險，去做你喜歡或感興趣的事。一半是藝術，一半是約會，就像在取悅內心的藝術家。事先計畫（所以才叫約會），這個每週一次的探險值得期待。和浪漫約會一樣，參與本身就有一半樂趣。

我教學的時候，發現學生會有些抗拒，但抗拒的不是像工作般的晨間隨筆，而是像玩耍般的藝術之約！

我們的社會文化有強烈的職業道德，卻沒有「玩耍道德」。因此，當我介紹晨間隨筆，會說：「我有個工具要介紹給你們。它會變成夢魘，因爲你得早四十五分鐘起床寫隨筆。」我會看到大家點頭。我的學生「了解」這個工具可能非常有價值，所以都能做好準備，開始進行。但是當我介紹藝術之約，「我要你們每週花一到兩個小時做一些喜歡或感興趣的事。換句話說，我想要你們玩耍。」這時，有人會開始抗拒地交叉雙臂。「玩耍」有什麼好處？我們能理解必須努力才能開發創意，卻不了解「玩耍創意」其實是處方箋：先玩耍，然後你會得到創意。

要學生執行我指定的「玩耍作業」出乎意料地困難。「茱莉亞，我不知道藝術之約該做什麼。」有時學生會這樣告訴我。再一次，這樣的託辭來自缺少玩耍的經驗。這些學生都太過認真，不愛玩耍，認爲一定要找到「完美的」藝術之約。

沒這回事，我如此答覆。然後我要他們不假思索快速說出五個可能的藝術之約。如果想不到，我會給提示：假裝你是年輕人。說出五個年輕的你會喜歡的事。儘管不情願，玩耍清單還是列得出來。

- 去童書店。
- 去寵物店。
- 去文具店。
- 去看電影。
- 去動物園。

列完前五名之後，我會慫恿他們再列五個。這需要花一點力氣探索，但很快就能再列出五項。

‧逛園藝店。
‧參觀植物園。
‧逛布店。
‧逛鈕釦行。
‧觀看表演。

一旦將藝術之約定位成好玩的活動，就能想到很多相關的點子。至於那些仍舊毫無頭緒的人，和朋友一起腦力激盪將能扭轉局面。我們的朋友可能會說：「參觀博物館，參觀畫廊。」或者就像一位朋友建議的，「參觀電腦用品專賣店」。

這些清單只讓人開心，沒有任何嚴肅的活動。不是要你去從事具有教育意義的成人休閒，像是你平常認爲的電腦課，那樣的課程要求太多，不能算是藝術之約。我們追求的是單純的樂趣，不會太過嚴厲。而且要記住，一定要獨自進行，這樣你才能取悅自己。不用和別人分享，而是私下與個人的冒險，是一個你只和自己分享的祕密禮物。

跟內在的藝術家約會

獨自執行的藝術之約是一段特別的時光，在其中，你的藝術家特質是你要專注的焦點。「星期五那天，我帶我的藝術家去小義大利區吃飯。」

藝術之約推動我們進入增強的聆聽狀態。在這場約會中，我們能夠確實和自己以及我們稱之爲「內在的年輕人」產生聯繫。會對這項工具產生抗拒很正常，但是如此靠近地聆聽自己帶來的報酬很可觀。和自己獨處，做一件只爲了好玩的事，我們聽到內心最深處的渴望和靈感，或者聽到了感覺像更高力量所伸出的手。

創作藝術時，我們汲取內在的那口井，「勾起」一個又一個影像。進行藝術之約時，我們將那座井重新補滿，有意識地修復圖像的庫存。這些寵愛自己的時間獲得報償，等下次再爲了創作藝術而尋找圖像時，會發現我們的井充足而豐富，輕易就能找到圖像，選擇衆多。我們聆聽看起來最好的那一個。

從事藝術之約時，要全心投入當下的經驗。如此的投入帶來愉悅。突襲小義大利區讓我們的感官飽滿：豐富的香味和可口的美味滿足了味覺；香煎米蘭小牛肉（也就是檸檬佐小牛肉）加上現烤大蒜麵包，挑逗我們的味蕾；等我們回到家，明明寫著完全不同的主題，心中浮現的圖像卻如當時的餐點一般豐富。這次的藝術之約有所收穫，然而並非直接取得。我們進行了A約會，卻在Z約會中收割，或許是這樣的收穫並非直接獲得，所以會覺得藝術之約比晨間隨筆困難。晨間隨筆是工作，而我們擁有高度發展的職業道德。藝術之約是玩耍，但我們不懂「玩耍創意」是什麼意思。我們願意努力得到創意，但是要怎麼用玩耍取得？我們不知道玩耍有什麼好處。

但是玩耍有很多效益。只要放鬆，創意就能更自在地流動。不勉強自己認眞思考，就只是放鬆、聆聽並記錄下來。從事藝術之約時，直覺和第六感會浮現。許多人在藝術之約時感受到如神一般的仁慈存在。「對我來說，藝術之約是靈性經驗，」一位實踐者這麼說。可以這樣想：進行晨間隨筆，你在「傳送」；進行藝術之約時，你把鍵盤翻面，以便「接收」。就好像在打造靈性的無線電，你需要傳送和接收這兩樣工具，才能運作順暢。

「我在藝術之約時獲得了突破性的創意概念。」一位女士告訴我。我並不驚訝。創意專家教我們，突破性進展是兩階段過程的報償：專注，然後放鬆。有了晨間隨筆，我們便能夠專注，聚焦在手上的問題。從事藝術之約，就能練習放鬆，腦子裡會充滿新創意。「放手」才能繼續往前，這就是爲什麼許多人說他們的突破性進展發生在洗澡，或是在高速公路上巧妙切換車道時。愛因斯坦就常常在洗澡時想到新概念，導演史蒂芬．史匹柏則在開車時想到新點子。關鍵在於專注，然後放鬆。太多人努力專注，卻忘了放鬆，藝術之約是這個壞習慣的解藥。在藝術之約時玩耍就能開始玩耍創意。

藝術之約的重點是享受。帶著一點熱情的淘氣刻畫出最好的藝術之約。千萬不要把藝術之約當成責任，要想成神奇奧祕，不要想著牢牢掌控。用無關緊要的態度面對。不是計畫某件你「應該」做的事，相反的，是計畫某件也許你「不應該」做的事。駕著馬車，享受馬蹄的達達聲。藝術之約的花費不必昂貴，有些最好的藝術之約甚至不用花錢。逛童書店花不到錢，也能找到令人著迷的書，主題包括爬行類動物、大型貓科動物，或是火車。

藝術之約可以像孩子般單純。童書裡的資訊量對啓動心中的藝術家來說正適合，而較多資訊量的成人書則會讓心中的藝術家措手不及，感到氣餒。永遠都要記得，心中的藝術家很年輕，要像對待孩子一樣，用好話哄，而不是鞭打他向前。他對嬉鬧會有很好的回應。藝術家之約這種指定的玩樂對增加生產力是很好的工具。

專注其中

「我在寵物店進行藝術之約，在那裡我可以撫摸出生沒多久的兔子寶寶，之後就像著魔般寫作。」一名學員開心地報告著。她最愛的兔子是一隻母獅子兔，這個毛茸茸的品種既溫柔又愛玩。回到家，她接連在客廳窗外看到幾隻棉尾兔。「就好像我調到了『兔子』頻道，」她笑著說。

寵物店原本就具有玩鬧特質，是理想的藝術之約地點。但是一位實踐者非常讚許水族館，「我可以待上好幾小時，」他告訴我，「有著夜光條紋的霓虹脂鯉讓我痴迷，我也很愛魚鰭像帷幕一樣擺動的扇尾金魚。神仙魚名字聽來如此平和，但其實生性好鬥。劍尾魚色彩繽紛，但非常害羞。」

注意不同魚種之間的特性就是專注的表現，專注是藝術之約的重要特徵。我們聆聽每次約會的個別特質，在記憶庫裡加以記錄。等下次安頓下來創造藝術時，就有一口豐富的井可以汲取。記憶中的細節轉變成藝術中的具體與明確，而這一點吸引了觀看藝術的人。

藝術攝影師羅伯特・史提佛斯（Robert Stivers）每次展示作品時都很謹慎，作品陳列的位置對他和來畫廊參觀的人都很重要。史提佛斯的作品範圍從神祕玄奧到超自然都有，他拍攝的影像有著無與倫比的美麗，從在風中搖曳的向日葵，到手掌的特寫。「我認爲這就像聆聽，」史提佛斯說，「某樣東西會吸引我的目光，就像低語會讓我注意聽一樣。這就是專注。」史提佛斯駕車駛過沙漠，從車窗拍攝照片，那些照片非常撼動人心。

「我喜歡其中一些照片。」他謙虛地說。他的目光銳利，而他的謙虛有種未言明的尊嚴。我在開展前夕來到畫廊，偷偷先觀賞作品。快速瀏覽一百張影像，他對一系列以飽和色彩呈現的動物照片感到特別驕傲。公羊是暖粉紅色，水牛是莊嚴的紫色，麋鹿是綠色，色彩的劇烈變換讓每隻動物變得更令人印象深刻。連史提佛斯自己都必須承認，他「喜歡其中一些照片」。

對我來說，拜訪史提佛斯的攝影展就是一場完美的藝術之約。他拍攝的影像如此引人入勝，撼動感官，讓人升起孩子般的好奇心。拍到一朵花正要凋謝的瞬間，是提醒萬物終有一死；披掛著薄紗棉布的裸體照片，又有不同的涵意。

感受到更大更仁慈的存在

成功的藝術之約開啓了通往創意探險的門，你所看見或聽見的，則打開了你所感受的心房。情緒沒有上鎖，全身心都能投入。

規劃藝術之約時，要選擇美感勝過責任感，可以自由感受魅力。快速列出十件你喜歡也能成功完成藝術之約的事物。如果你愛馬，可以撫摸一匹馬；喜歡巧克力蛋糕，可以逛烘焙坊。一株仙人掌可以帶你走到花店，你的所有愛好都會帶你走向某處，而那個地方就是豐富的藝術之約。

藝術之約讓人感覺有所連結。在參觀你喜愛的事物時，容易回歸自身。你會發自內心激動，幸福感會逐漸出現。許多人都說他們會出現一絲神聖感，在頌揚我們所愛的事物其中存在著神聖，很多人都會產生對豐盛宇宙的感激之情。

「茱莉亞，我認爲我感覺到上帝。」一位學生讚嘆著對我說。

無論是否稱之爲上帝，在藝術之約時經常會感覺到更大更仁慈的存在。進行藝術之約時，我們對自己寬容，如此也似乎能提高感受神聖善意的可能。

美國的文化主要受猶太教與基督教的影響，許多人成長過程中都接收到上帝會懲罰人類的概念。在童年時，經常覺得上帝好批評，也會懲罰人。我們必須努力建立上帝更仁慈的認知。我們的「新」上帝可能仁慈、慷慨、鼓舞人心，甚至有幽默感。當列出希望上帝擁有的特質，就會了解，那些特質可能其實存在，也能眞誠說出上帝仁慈。我們可以斷定上帝慈愛，並開始感受。藝術之約開啓了通往神聖的門。當我們有意識地努力讓自己開心，就更能夠察覺周遭環境中的愉悅。一定要去寵物店走走，撫摸一下小兔子。對動物驚嘆的好奇心開啓了一扇門，能夠通往對世界的好奇。

在最佳情況下，藝術之約激發了敬畏感。參觀著迷的事物，會對讓人更想深入探索的著迷事物保持開放態度。愉悅帶領我們找到更多愉悅。一開始，因爲太過努力想要找到有趣或免費的神奇事物，藝術之約可能會限制想像。經過練習，進行藝術之約會越來越自在。當我們習慣取悅心中的藝術家，就會變得更加熱切。藝術之約變得越來越不像「工作」，反而充滿豐富感受。當藝術之約讓我們表現活躍，周遭的世界也會更加繁榮。

意識覺醒

藝術之約的點子會接踵而來。只要開始想像，另一個想像就會自動浮現。能夠益發專注在欣賞自身經驗，興趣就會變成熱情。如果藝術之約一開始像是黑白照片，當意識因此覺醒時，就會變成彩色照片。能否專注在意識上很重要：參觀玫瑰花園的藝術之約喚醒視覺和嗅覺的意識；去餐廳享受美味的沙拉吧則喚醒味覺意識；到寵物店摸摸毛茸茸的兔子啓動觸覺意識；音樂會讓我們的耳朵打開。規劃藝術之約時，一次開啓一種意識，是有意義的挑戰。若能專注在每種意識，就得以覺醒。若能完全覺醒，就能體驗自身多重感覺並用，人生也會變得更加饒富興味。

「藝術之約讓我覺醒，」一位學生宣稱，「一切都變得更加生動。我覺得充滿活力。」

更加感覺充滿活力是藝術之約常見的收穫。我們的人生就像是史提佛斯的動物一樣，充滿了飽和的色彩。我們變得警覺，注意周遭的一動一靜。在紐約的中央公園，櫻桃樹圍繞著蓄水池，樹上的花苞是人們不會忽視的粉紅泡沫。在新墨西哥，杏樹會在春天開花，人們也同樣不會視而不見。在每個地方，不同季節都會帶來短暫的繁盛，而我們都能察覺。

「自從開始藝術之約，我變得更能專注。」另一位學生解釋。

這就好像一週花一小時左右去眞正專注在樂事上，如此一來，就能讓這一週的其他時間更有樂趣。藝術之約帶來的樂趣超越了藝術之約本身。我們懷抱喜悅，期待著規劃好的藝術之約，之後便能品嚐美好的回憶。藝術之約有三個清楚的階段：之前、其中和之後。

藝術之約讓我們更加腳踏實地。當我們專注在取悅自己，會了解取悅自己的是什麼。一位學生向我抱怨藝術之約讓她很痛苦，我稍微試探後，發現她進行的藝術之約很「嚴肅」，把重點錯放在自我精進。於是我告訴她，「開心點。」她於是照做，也開心地回報現在藝術之約變成歡樂的泉源，不再是薰陶課。

理想的情況是，藝術之約是歡欣的經驗，重點放在樂趣、輕浮和幻想。換句話說，就是純粹的愉悅。玩耍喚醒了想像力。我們的思緒更加豐富，專注在樂趣上，也發現更能夠專心。就好像心智因爲得到些許放鬆而提供獎賞，作爲得到樂趣的報償，我們獲得了更多工作能力。

藝術之約是悲傷的解毒劑

藝術之約讓我們了解，許多人過著不平衡的生活：太認眞，也太專注在工作上。我母親在牆上貼了一張打油詩提醒自己：

如果把鼻子貼到粗糙的磨石表面，並且不斷持續停在那上面，
很快你會說，再也沒有潺潺作聲的溪流，也沒有高歌的鳥兒。
整個世界只剩下三樣東西：那就是你、磨石，和那該死的鼻。

我母親懂得怎麼執行藝術之約。她在五十多歲時報名了肚皮舞課程，完成課程後的結業證明在我們家大獲好評。養育七個子女長大的母親了解眞正又純粹的樂趣。我們家裡有兩臺鋼琴，一臺是上課用，另一臺是彈著好玩的。每當我母親心情低落時，就會獨自彈琴，曲調總是華爾滋舞曲〈藍色多瑙河〉。我們從母親身上學會「一點樂趣就能治療憂鬱」。如果我們太過悶悶不樂，媽媽會讓我們上車，把我們載去霍桑．梅樂蒂牧場（Hawthorn Mellody Farm），這座當地的乳牛牧場有一個可以撫摸動物的可愛動物園，是最大的特色。拜訪羊寶寶總是能讓我們恢復精神。動物寶寶會激起歡快，煩悶的心情也會因此消失。

藝術之約是悲傷的解毒劑。把一兩個小時花在有趣的事物上，可以揮去籠罩自己的沮喪。樂觀會溜進我們心中，情緒會從悲傷變爲快樂。一週執行一次藝術之約，是預防沮喪的有力工具。

「才不過執行幾次藝術之約，我就愛上了。」一位對抗憂鬱多年的女士陳述。藝術之約變成她的快樂習慣。

「我原本不喜歡藝術之約，」一位男士承認，「但當我終於開始時，我驚訝地發現自己看待世界的角度有所改變。以前世界讓我感到備受威脅，現在變得很友善。」藝術之約改變了我們的觀點，以前顯得巨大的麻煩變得微小。我們變得更堅強，能夠面對阻礙。判斷能力回來了，變得足夠強大，能夠克服遇到的問題，從前卻步的地方，現在感覺足夠堅強。

藝術之約是聆聽之路不可或缺的要素。準備好尋找樂趣時，就爲自己灌注了信心，變得敢於拓展。聆聽每次歡樂的探險帶來的愉悅，讓我們懂得與快樂共處，而快樂也是聆聽之路的主要特徵。

試試看

一週一次，獨自進行歡樂的探險。做一件會讓自己開心的事。選擇有趣、激發幻想的活動。事先規劃，才能愉悅地期待。允許自己嬉鬧，保持年輕的心境。

全心漫步

散步時仔細聆聽，留心周遭的環境，將喚醒你的感官。散步讓我們活在當下，注意四周，變得警覺。以溫和的步伐前進，能夠看清路上一切風景：麻雀從樹叢上撲動翅膀，路旁的紫苑讓眼前一亮，一枝黃樹叢變成銀綠色，敏捷的灰色蜥蜴狂奔穿過小徑——伸展腿的同時，也伸展了心智。棲息在矮松中的鳴鳥帶來驚喜，如果夠幸運，甚至可以在高草間看到站立不動的鹿。

在散步時聆聽整個世界

我們走的每一步都能刺激天然的火箭推進器「腦內啡」的分泌。身體的化學機制朝正向發展，心智自動提升，所見所聞也鼓舞著我們，不論在身體或心理上都受益。

「你看那隻在窗臺上的貓！」我們發現時高興地說。

「小心！不要踩到水窪！」散步時也有所警覺。散步的速度讓我們得以看到路上的危險，能清楚聽到烏鴉的叫聲、鳴鳥的啼囀，也能察覺所有聲音，包括風吹過矮松的沙沙聲，連最輕的嗖嗖聲都能引起注意。我們在散步時聆聽整個世界。

「我愛散步，」一位女士告訴我，「我嘗試每天走一萬步。我有一支有計步功能的手錶，我愛極了。」

帶著察覺走每一步，帶給我們成就感。留意每個聲音、每個步伐讓我們感到世界的友善。這個世界在對我們說話。我們聽到車子靠近時，碎石嘎吱作響，有所警覺，大卡車的轟隆聲像是在說：「靠邊一點。」我們聽到也看到這個世界。事實上，我們總是先聽到才看到。

練習有意識地聆聽時，聽覺會變得更敏銳，並留心周遭環境。我們變得越來越有辨別力，隨著每個腳步向前，聽得更清楚，讓自己走進明晰。

我們在城市中經過一間花店，裡面的顏色千變萬化。接下來，一間美味可口的烘焙店將窗戶妝點得很美麗，一家五金雜貨店展示商品，一間書店陳列所賣的書。散步時可以將這些風景盡收眼底，無一缺漏。心智和情緒都能捕捉到這些經過的景象。

花店展示出蘭花和鳳梨花；烘焙店主打法式千層酥和可頌；鐵槌和鋸子說明

了這是間五金行；書店櫥窗陳列的書本，書衣彷彿在說「快讀我」！

無論住在城市或鄉村，散步都讓我們更認識環境。無論看到在路邊吃草的美國花馬，或是在指揮交通的騎警，都能好好欣賞。走路時看到的風景，就像時時在心裡按下拍立得的快門。回到家準備寫作或繪畫時，就能把走路時的記憶畫下。散步增加了創意點子的庫存。

散步時會分泌天然的火箭推進器腦內啡，幸福感因此增加。脾氣暴躁時外出散步，情緒會隨著每個腳步調整。短短二十分鐘的散步就足以將人推往正向的念頭。每一步都能消除壞情緒。

因此，不論在鄉村或城市散步都無礙，緩慢的步伐保證在任何路線上都能一覽無遺。遛狗時可以狗的視角觀看：「哦，你看！有一隻英俊的洛威拿犬。」「你看！可愛的可卡犬。」

我的狗莉莉是西高地白㹴，她很喜歡鄰居的黃金獵犬歐提斯。當歐提斯在後院玩耍時，她會興奮地叫。我們住在聖塔菲的山上，附近有鹿棲息。莉莉發現鹿時會靜止不動。我幾乎能聽到她在想，「那動物好大！」我需要拉一兩次牽繩，才能讓她繼續走。一天早上，她不只看到一隻鹿，而是四隻。當鹿穿過她面前的小路時，她緊緊盯著。「這冒險太好玩了！我等不及要告訴歐提斯！」她的姿勢彷彿這麼說。而莉莉回到歐提斯的遊戲場前時，也的確這麼做。

你走的每一步都不會浪費

有些人不願意散步，認爲浪費時間和精力。但這不是浪費，步行二十分鐘可燃燒四十卡路里，有時更多，還可以加速新陳代謝好幾小時。每天散步可以減重也足以鍛鍊肌肉並增強耐力。「每天走一走。」體能教練蜜雪兒．沃薩（Michele Warsa）建議，她的建議打造了苗條的身材。

「走路是最好的運動，」女演員兼詩人朱莉安娜．麥卡錫（Julianna McCarthy）也附和，「所有專家都同意，」她繼續，「每天散步可以減重，額外的好處是增加有創意的靈感。」

在麥卡錫列舉的那些專家中，有一位寫作老師布蘭達．厄蘭（Brenda Ueland）。厄蘭是偉大的步行者和作家，她宣稱：「我會告訴你我學到的東西：對我來說，八到九公里的長途步行很有幫助，必須每天獨自走一趟。」

另一位專家是作家娜妲莉．高柏（Natalie Goldberg），她撰寫了經典著作

《心靈寫作：創造你的異想世界》這本偉大的入門書和暢銷書。高柏擔保散步是重要的創造力工具，七十歲的她身體健康，以健行保持精神平衡。「散步給了我靈感，」她告訴我，「我喜歡用步行爲我的心智暖身。」

我和麥卡錫是四十年的朋友，和高柏則維持三十年的友誼。她們都是我的相信鏡，強化了我作家和步行者的身分。當我的精神萎靡不振時，我會打電話給她們以得到激勵。

「妳和莉莉一起散步很好。」麥卡錫灌輸我她對散步的熱愛。我告訴她莉莉看到鹿的反應，她讚賞地笑了。麥卡錫住在加州的一座山區，我們分享彼此在山上觀察到的動植物。

約翰．尼可斯（John Nichols）是另一位作家和步行者。他認爲每天在新墨西哥州陶斯的一座小山上健行，激發了他的創造力。和厄蘭一樣，他「每天獨自」長途健行。身爲《何日卿再來》（*The Sterile Cuckoo*）、《荳田戰役》（*The Milagro Beanfield War*）和其他十多本書的作者，尼可斯幽默風趣——這是他走路的另一個好處。

「尼可斯讓我發笑。」我最近向高柏坦白。

「我有同感，」才剛和他一起登上講臺的她證實了這一點。厄蘭也和尼可斯一樣樂觀，她說：「把自己想像成一股熾熱的力量，被上帝和祂的使者照亮，或許永遠都能聽到祂們對自己說話。」她說的是與更高的力量慶祝她的「有意識的接觸」。散步的第一個也是最好的收穫，是感覺與「神和祂的使者」連結。散步時，我們體驗到精神的層面，來到我們面前的是預感、洞察和直覺，而不是自己的想法。如果養成散步的習慣，會對更高的領域豎起內在的耳朵。

走路就能解決問題

雖然我們可以很快發現散步對自己的好處，但在許多靈性傳統中，步行都占有榮耀的位置。原住民開始徒步旅行；美洲原住民追求靈境追尋；威卡教徒步行到格拉斯頓伯里；佛教徒實踐行禪；聖奧古斯丁宣稱「走路就能解決」（Solvitur ambulando），解決的可能是個人或職業上的困境。散步解開我們經常糾結的生活。一次跨出一步，我們會越來越清楚。齊克果用散步來釐清國家事務，我們同樣可以藉由散步闡明心裡的煩惱。「我對此有這種感覺。」散步會告訴我們。試圖解開問題時，許多人會直覺地開始走路。每走一步，我們都可以更輕鬆地去聆聽，也會自然「聽到」。走路時，聆聽會更深入，自然而然調整到融入環境和高我。

散步時，我們會欣賞周遭環境的景象和聲音。在鄉村聽得到鳥兒鳴唱的旋律不時被烏鴉的叫聲打斷。慢慢走著，很快就看到棲息在高聳樹枝上那隻喧鬧的鳥。一靠近，牠就振翅飛離樹枝。我們繼續前行，旋律又再次響起。

在城市中，鑽鑿機鑽出斷奏的節拍。往聲音走去，會看到人行道正在修復。繞過人和機器，來到一個正在噴水的消防栓，於是步入巷道以避開泥濘。一輛計程車響起喇叭聲，趕緊靠邊。不耐煩的司機從搖下的車窗裡喊道：「讓開！」「好，好，」我們一邊喊著，一邊走上人行道，繼續前行，停下來警告一位遛狗的人將面臨的麻煩。散步使我們變得友善。遛狗的人帶著他的狗，感謝我們的提醒。

「不客氣，」我們回答。鑽鑿機的噪音阻斷了進一步的談話。我們繼續前行，將喧囂拋在身後。

讓散步成爲有意識的工具，我們學會了仔細聆聽自己的聲音。在聆聽之路中一次跨出一步，讓散步把我們帶回家。

我寫了《行走在這世界》（*Walking in This World*），書中討論的是散步對精神和身體都有益處，也進一步建議與朋友一起散步，最好進行發自內心的交談。散步時會配合思考的節奏，會聽到話語和話語背後的情緒。我們變得親密。散步時很難說謊，注意力和呼吸會投入每個腳步，不小心就說出不能說出的話。邊說邊聽的我們會問自己一個問題：「我現在夠真誠嗎？」答案往往是肯定的。

試試看

穿上舒適的鞋子，走一趟短短二十分鐘的路。好好觀賞四周。注意你在思考什麼。回到家，打開筆記，記下走路時看到的其中一幕。

例如：我經過一家花店，裡面有一整排巨大的向日葵。或者：我和一隻長相出眾的沙皮狗錯身而過。

現在，寫下你在散步中領悟的事。走路時，我們會產生洞察和想法；散步讓我們進入更高形式的聆聽，可能可以稱之為「指引」或「直覺」。

例如：我意識到我可以相信我的表妹擁有更高的力量，儘管她向我尋求了很多建議。或者：我想譜寫更多樂曲，我可以每天早上在完成晨間隨筆之後寫一點。

一週內至少步行兩次，每次二十分鐘。你是否對周遭的世界有更多的覺察？

第1週
聆聽環境

做一件事有部分要聆聽。
我們一直在聆聽。
聆聽太陽，聆聽星星，聆聽風。

——麥德琳・蘭歌（Madeleine L'Engle）

聆聽之路的第一步是聆聽可能習慣忽略的事物：周遭環境。本週你需要留心四周。我們將探索周圍的聲音，包括喜歡的聲音和迴避的聲音。練習把頻道對準以便連接——連接到周遭環境，連接到我們與周遭環境的關係。

你的背景音樂是什麼?

聆聽之路使我們留心周圍環境,第一週練習專注於周圍聽到的聲音。我們花時間注意環境裡的聲音,是使人寬心還是惱人?響亮還是柔和?用心聆聽周圍的聲音時,會注意到自己想要改變什麼。

人是習慣的動物,可能會習慣一些非常不愉快的事情。鬧鐘可能會引起注意。購買時,我們本可以買下樂鐘悅耳的時鐘,卻不以為意,認為刺耳的鐘聲沒什麼大不了,導致每一天都以刺耳的音符開始。微波爐亦然,食物「準備好」時發出的嗶嗶聲也很刺耳。就算注意到這個聲音,我們也會告訴自己沒什麼大不了。諸如此類的情況會發生在接下來的生活中,我們生活其中,但聽不見。

要注意,你的存在是如此精細複雜,而你總是視為理所當然。

——道格.迪龍(Doug Dillon)

我們都渴望更健康的生活,日常的背景音樂可以有意識地改變。花點錢買個音樂動聽的鬧鐘得到的報酬很可觀，因為我們將以更加愉悅的心情醒來。一天中會聽到許多聲音，在每個聲音之中都要問，「這個聲音讓人愉快嗎？」否定的答案比例高得驚人，努力將「否」改為「是」就能變得放鬆。

吊扇發出令人討厭的答答聲，讓人不容易聽到電話響，就表示該去買潤滑油。是時候停止拖延，潤滑劑並不貴。為風扇「加油」讓噪音不再響起，輕柔的嗖嗖聲取代了煩惱，而且現在很容易聽到電話響。

我的朋友珍妮佛．貝西（Jennifer Bassey）悅耳的聲音響亮且清晰。「妳把風扇修好了，」她宣稱。

汽車空調裡飄著一張紙片。這種情況已經很長一段時間，你也學會加以忽略。現在，集中注意力，用鑷子夾住在微風中飄揚的紙張。車子一下子變得更宜人。引擎穩定地嗡嗡作響，沒有你已經習慣的不穩定顫動。

這是什麼？當汽車駛出車道，耳朵會聽到笑聲。鄰居的孩子正在車道上投籃。他們運球時，你可以聽到球的啪嗒聲。你幾乎可以聽到球過網時發出的嗖嗖聲。最重要的是，他們歡快的笑聲表示玩得很開心。因為他們，你的精神一振。歡樂的聲音——或悲傷的聲音——呼喚我們做出善意的回應。聽到孩子的哭泣，會受到觸動而同情，而孩子的笑聲讓我們感到快樂。儘管很少意識到這一點，但我們的日常總會搭配著背景音樂。

聆聽是一種接受。

——娜妲莉·高柏

開車上班，一個不耐煩的司機按喇叭惹惱了我們。「別著急。」我們可能會這樣想，有意識地加以留意而非忽略。午餐時，稍微留意周圍的聲音，比如豎起耳朵聆聽大教堂報時的鐘聲，而它會在加班完離開辦公室時再度響起。回到家，可以挑選一張最喜歡的專輯，在美洲原住民長笛的樂聲中放鬆。我們特意選擇，是因為這樣的旋律溫柔且催眠。我長年最喜歡的是作曲家麥可·霍普（Michael Hoppe）的專輯《渴望》（*The Yearning*），由中音長笛演奏家蒂姆·惠特（Tim Wheater）演奏。

溫柔的聲音造就溫柔的生活。當我們的宜人聲音撫慰心靈，會變得更加親切。不像刺耳的斷奏聲那樣突然採取行動，不是做出反應，而是回應，而且是溫柔的回應。若能融入與內心對話的聲音環境，就能打造更眞誠的生活；若能讓生活的調性變柔和，也將軟化對周圍世界的回應。生活不再嚴厲和斷續，而是更加溫和。

加入悅耳的背景音樂，可以讓在家度過的夜晚變得不那麼孤單。音樂可以撫慰野蠻的猛獸，也可以撫慰我們。最喜歡的音樂選集會改變生活品質，也讓情緒不再尖銳。

聲音療癒是已故唐·坎貝爾（Don Campbell）的專長，他的著作《沉默的咆哮》（*The Roar of Silence*）是該領域的經典之作。之後的著作《莫札特效應》（*The Mozart Effect*）很有說服力地指出，音樂不僅會影響情緒，還會影響智商。他認爲，接觸過莫札特作品的孩子更快樂、更聰明。他斷言，欣賞莫札特的音樂也能讓成年人的脾氣變好。正如約翰·巴洛（John Barlow）所言，「要認眞看待音樂可以代表情緒狀態的想法。在這個世界解放你的身體，在死後拯救你的靈魂。」

打字機在紙上敲擊的聲音是一首優美的交響樂！

——阿維耶特．達斯（Avijeet Das）

音樂將我們提升到更高的境界。音樂學家告訴我們，音樂是最高的藝術形式，可以讓聽衆更接近神。不可否認，聽某些音樂是一種靈性體驗：韓德爾的《彌賽亞》將聽衆提升到神聖的領域，提供了靈性體驗和美學體驗；帕海貝爾（Pachelbel）的〈D大調卡農〉撫慰了靈魂，讓人深感安心；舒伯特的〈聖母頌〉在精神上開放，它翱翔並邀請聽衆同行。

在聆聽之路上，音樂是不可或缺的盟友。如果能意識到音樂的深遠影響，就可以開始制訂計畫以增添聆聽樂趣。因爲對聲音的影響保持敏銳，不同的音樂選擇會改變心情。鼓樂是旅途音樂，打開了通往神聖的大門。米基．哈特（Mickey Hart）和兒子塔洛（Taro）爲觀衆提供了《因音樂而生》（*Music to Be Born By*）專輯。這張專輯有推進力、充滿活力，又接地氣。

長笛音樂是孤獨時的伴侶。大衛．達令（David Darling）和印第安原住民長笛合奏團（Native Flute Ensemble）合作出版了《儀式高地》（*Ritual Mesa*）這張充滿眞心誠意旋律、令人難以忘懷的合集。管絃樂隊的飽滿會讓情緒高漲：貝多芬的《第九號交響曲》和歌劇《費德里奧》（*Fidelio*）序曲的旋律歡欣鼓舞；巴哈的〈郭德堡變奏曲〉（*Goldberg Variations*）的巧妙之處喚醒了我們的心。我們一邊聽一邊學習。

> 她說音樂讓她想知道，它會讓我們更常被聽到，還是去聽？
>
> ——鄧敏靈（Madeleine Thien）

聆聽，眞正的聆聽，將我們帶入當下，留意每個音符展開的當下。精神導師一致認同「活在當下」的重要性，受人尊敬的佛教宗師一行禪師堅定地強調專注於出現的每一刻所帶來的許多好處，他使用佛教術語「正念」，但我會建議一個更常見的詞：「一心一意」。當我們聆聽每一刻的展開，會發現自己在聆聽內心。我們心無旁鶩地聆聽，也全心全意地聆聽。一行禪師舉了喝茶「念其善」的例子，而感恩的是我們的心。茶很好喝，我們喝茶時感覺很好。我們就在當下。

太多人過著忙亂的生活。我們匆忙地完成一件又一件事，認爲速度才是朋友，但這是眞的嗎？放慢腳步時，會發現生活以一種可以理解的節奏展開，也會聽到自己思考。聆聽之路要求我們留心，想過健全的生活，就必須聆聽生活的聲音。

停下來聽。故事無處不在。

——湯瑪斯．洛依德．奎爾斯（Thomas Lloyd Qualls）

試試看

找一天記錄背景音樂，從鬧鐘的聲響開始，問自己，「這聽起來悅耳或刺耳？」沖咖啡的計時器響起、微波爐發出聲響提醒早餐燕麥粥已經熱好時，都要記得這個提問。上班時注意地鐵的聲音，如果你開車，注意喇叭聲，問問自己，「我可以走一條不同、不那麼匆忙的路線嗎？」注意吃午飯時經常造訪的小餐館的喧囂聲。有沒有更安靜的選擇？繼續一整天注意聲音和自己的反應。

在一天結束時，寫下你的發現。你可以做出哪些改變來使聽覺體驗更加愉悅？

對自己溫柔點，用愛呵護耳朵。

無法控制周圍的聲音，該怎麼辦？

「如果我無法控制周圍的聲音，該怎麼辦？」我的學生有時會抗議。「如果我迫不得已學會忽略它們，該怎麼辦？」忽略周遭的聲音會讓我們養成分離而不是連結的習慣。我認爲忽略比留心更花力氣，我們可以在留心時探索解決方案。留心讓我們變得有所覺察，而經由覺察，可以創造改變——或者可以加以嘗試。

舉例來說，我的西高地白㹴莉莉擁有一座豪華的後院，有連綿起伏的小丘、高大的樹和開花的灌木叢。石頭小徑周遭環繞著動植物群，露天平臺通往房子，搭配一扇剛好容納一隻小獵犬通過的狗門。我的房子四周有圍欄，在莉莉看來，這寬廣的領域是她的個人天堂，可以在其中自由漫遊和探索。這是眞的，但同樣眞實的是，柵欄另一邊的土地屬於我的鄰居。而莉莉很愛吠叫。

將近晚上九點，我關上狗門，莉莉很沮喪，坐在門邊輕聲嘟囔。如果我讓她出去，她會大聲吠叫，鄰居會不開心。

「莉莉，噓。」我告訴她。我的同事艾瑪告訴我，狗聽得懂很多詞，我們與牠們說話時，牠們會了解。但是莉莉沒有理會「噓」這個字。如果莉莉聽得懂，就是在造反。她很清楚我說的幾個詞，那就是「莉莉，鮭魚，吃飯」，還有「好，夠了」，以及「待會見」，最後是「睡覺時間」。

現在還不是「睡覺時間」，所以莉莉對我的行為表示不滿。我決心不屈服，界線已定好：不能吠叫。莉莉很頑固，我也是。一位馴犬師曾經告訴我，「㹴犬很愛吠叫，因為牠們很有領域性。」另一位馴犬師則遺憾地說：「我們馴犬師對㹴犬莫可奈何。」所以我試著接受莉莉並不想當討厭鬼；不，她只是忠於㹴犬的本性。

莉莉跳到雙人沙發的靠背，警覺地趴在那裡，繼續表達不贊同。「莉莉，噓。」我又罵了她一頓。覺得疲累的她突然嘆了口氣，從靠背上爬下來，伸伸懶腰躺下。

我已經七十一歲，會監控自己的行為，以免變成只和寵物說話、而不和人說話的瘋癲老太婆。但莉莉正在回話，突然跳起來開始吠叫——像平常在戶外的吠叫，即使她在室內。「汪汪汪！」她的吠聲響亮而粗嘎，某樣東西激怒了她。我向窗外望去，想知道是什麼。她的後院圍欄有兩公尺高，對土狼來說太高，也能有效阻止熊和鹿；臭鼬和負鼠跳得過來，不過這兩種生物都不受歡迎。我把臉貼在窗戶上，看到不只一隻臭鼬，而是兩隻，像馬戲團的雜技演員一樣走在圍欄上，用白色條紋的尾巴保持平衡。莉莉氣勢洶洶地咆哮：「讓我來對付牠們！」但是，我很高興，也覺得好險她被困在屋內。儘管她懂得虛張聲勢，一隻小獵犬還是無法與兩隻巨大的臭鼬抗衡。

我想像鳥兒一樣唱歌，不用擔心誰聽到或他們在想什麼。

——魯米

「莉莉，鮭魚！吃飯！」我走向冰箱，希望讓她分散注意力並停止吠叫。但是莉莉正如我所說的固執，而她現在正專注在臭鼬身上。

十分鐘、二十分鐘、半小時過去，她的吠聲越來越嘶啞，我的神經也是。我擔心即使在屋裡，她的吠叫聲也會打擾到鄰居。我已經答應他們十點以後她會安靜，現在是九點十五分——莉莉沒有停下的跡象。

我走回冰箱，拿出一包鮭魚——莉莉最喜歡的蒔蘿醃鮭魚。我走到莉莉身邊，在她鼻子附近揮動多汁的食物。我成功了！她停止吠叫，貪婪地咬住鮭魚，一次吃一大片。

「莉莉，好乖。」我用能說出最讓人安心的語氣告訴她，希望她能確實聽懂這句話。我退回雙人沙發，而還在吃鮭魚的莉莉則來到狗門旁，開始低吠。我們回到了起點，但她的低吠聲比全力吠叫要柔和。九點三十分，我們把她的宵禁時間提前了半小時。我把鼻子貼在窗戶上。幸運的是，臭鼬已經離開。

「莉莉，睡覺時間。」她不情願地放棄了她的崗位，跟我進臥室。

試試看

快速記下環境中你無法控制的三種聲音。留心每個聲音，是否讓你感到沮喪、焦慮、緊張？你能做些什麼來改變這些聲音？如果沒辦法，你能避開嗎？允許自己考慮「聽而不聞」之外的選項，看看你是否覺得自己更強大，也更自由。

有一半的時間你認爲自己在思考，實際上是在聆聽。

——泰瑞司・麥肯南（Terence Mckenna）

環境的聲音充滿訊息

周遭的聲音環境很迷人，當我們選擇聆聽時，會發現裡面充滿了資訊。練習關注環境最簡單的方法之一，就是聆聽周圍不斷變化的氣候：天氣。今天我決心做到這一點。

大地的詩歌永不消逝。

——詩人濟慈

有足夠的時間散步，所以我把莉莉的牽繩繫在項圈上，然後帶著她小跑到門口。門口設置的警報響起，我們溜出去。空氣中瀰漫著臭氧的味道；一場暴風雨正在路上。還沒到，但會來。

「莉莉，往這邊走。」我哄著，沿著最短的環狀路線下山。莉莉拉緊牽繩，想走得更快。我往後一拉，不想太過著急。然而，東邊的山區傳來一陣雷鳴，我屈服於莉莉的急迫。如果我們快點，就有時間走完一整圈。莉莉決心衝刺，我跟在她身後小跑，一直到中點，接著開始回程。

「回家，莉莉。」我宣布，然後往山上走。莉莉猶豫片刻後，跟了上來。第二聲雷鳴讓我們開始小跑，趕緊往家的方向走。此刻，正是散步的好日子，涼爽又有微風。雷電落在山峰上，沒有向下的趨勢。莉莉往前走去，驅趕了擋路的兩隻蜥蜴。莉莉速度很快，但蜥蜴更快。牠們躲在岩石下，是個遠離莉莉的黑暗藏身之處。她飢渴地嗅著牠們逃走的地方。

「來吧，莉莉，趕快走。」我拉她的牽繩哄著。她不情願地放棄狩獵。我想知道蜥蜴對狗來說，是不是像蝸牛對我們來說一樣美味。現在我們正往上爬，接近泥土路的盡頭時，突然一陣微風吹來。莉莉停下來嗅聞隨風飄揚的氣味。我想知道她感覺到了什麼。鹿？熊？郊狼？她憂慮地低吠，感覺到風中有某種狂野的味道。

她的警戒讓我不安。「走吧，莉莉，回家。」我用最嚴厲的語氣說。莉莉立刻往前飛奔，拉著我走得更快。她懂得「家」這個字。

進入院子後，她跳到花園裡，嗅著挺立的百合花，鼻子沾滿了橙色的花粉。一隻稀有的條紋蜥蜴躲在薰衣草叢下，莉莉沒有理會，她喜歡的蜥蜴口味是常見的灰色。

「莉莉，鮭魚！」我哄著小狗離開花園進屋。我看得出她的腦袋裡正在拔河。「花園？不，鮭魚！」鮭魚是正解。她往前衝，經過我來到冰箱。我打開冰箱，伸手進去，剝下一條野生阿拉斯加煙燻鮭魚。莉莉用後腿站立，以便能更快吃到。我聽到另一聲雷鳴，對自己的正確判斷感到得意：趕在暴風雨來臨之前散完步。遠處傳來更多雷聲，暴風雲從山峰下降。我點燃七日燭，放在桌上，並找到強光手電筒，放在容易拿取之處。山區很容易停電，昨天我家斷電好幾小時。儘管害怕漆黑的夜晚，但今天我已準備妥善。莉莉在我腳邊徘徊，非常害怕即將來臨的暴風雨。

新墨西哥州的暴風雨很容易成災。大雨傾盆而下，道路因此淹水。駕駛把車停在路邊，按下閃爍的危險信號燈，等待暴風雨過去。人們的手機會收到洪水警報。洪流將泥土路變成河流，而鋪設道路淹水深達十五公分。那些敢於暴風雨中開車的魯莽司機駛向中線，無法確定車道在哪裡。

安全待在家裡的我聽見雨水傾瀉而下、打在屋頂的聲音。隨著雷聲越來越近，莉莉發出了擔憂的低吠。一道巨大的閃電照亮了花園，挺立的百合花正面迎戰壓彎玫瑰叢的如注大雨。我對百合的力量感到驚訝；我以爲它們很嬌弱，其實不然。

莉莉躲在客廳的咖啡桌下。暴雨正在擊打屋頂，水滴發出尖銳的砰砰聲響。莉莉很討厭這種聲音，一陣雷聲加重了她的不安，走到我身邊尋求陪伴和庇護，但是又一聲雷鳴讓她瑟瑟發抖。閃電劃破天空，這是一場全面的電暴。雷聲再次隆隆作響。

和莉莉住在一起，我已經習慣她的許多情緒。除了晴朗豔陽之外的任何天氣都會惹惱她。雪、凍雨、冰雹、雨，全部是敵人。房子裡到處都是藏身之處：咖啡桌下，衣架後面，我床上的被子裡。如果暴風雨特別嚴重，像這次一樣，莉莉會輕聲低哼，輕柔的呻吟聲襯托著雷聲。

暴風雨越來越猛烈，莉莉在我腳邊不停繞圈。突然，她注意到有東西在動。

是一隻蜥蜴，有可能從狗門進來。莉莉撲過去，蜥蜴狂奔逃離。莉莉又撲上去，蜥蜴再次逃脫。這場遊戲可能會持續幾小時。幸運的是，它分散了莉莉對暴風雨的注意力。但我知道遊戲會因爲蜥蜴的死亡而結束，我不忍看下去，退到另一個房間，等到再次安靜下來，我才會去確認。

是的，蜥蜴死了。莉莉失去了玩伴。嚇壞的我小心翼翼又溫柔地把死去的蜥蜴撿起來扔進垃圾桶。

> 我有多少次躺在雨水打在陌生屋頂上的房子裡，想著家。
>
> ——福克納

這場暴風雨很猛烈，雨水不斷敲打屋頂，持續整晚，令我輾轉反側。我讓一支手電筒亮著。黎明來臨時，雨水稍歇，百合花仍然挺立，玫瑰則低下濕漉漉的頭。世界遭受重擊。

聽見別人聽不到的聲音

第二天早上，通往我家的泥土路變成一片泥海，沒法帶莉莉出門散步。我試圖向她解釋，但她不在意泥濘，只想出門。我向她保證，等泥地乾了，我們再去散步。暴風雨吐出最後幾滴，終於停下來時，莉莉走到狗門口，像是想找到更多蜥蜴。她出去打獵，回來時嘴裡叼著一根引火柴。引火柴不像蜥蜴那麼好吃，但味道夠好，讓她可以好好咀嚼一番。

這一天變得平靜。莉莉放棄了引火柴，在地毯上留下嚼碎的碎片。她在房子裡尋找蜥蜴，但沒有找到，於是到衣架後面趴下來，即使叫她也不願意出來。也許躲藏是她的策略。如果她很安靜，或許一隻大膽的蜥蜴會來到她面前。她如此希望。

我正在煮一壺濃咖啡。咖啡機在冒泡，發出的嘶嘶聲響在沒有蜥蜴的房子裡迴盪。莉莉大膽離開原位，走進客廳。她爬上雙人沙發到我旁邊，伸展著身體小睡。當我拍拍她柔軟光滑的毛時，她不快地不理會我。她已經放棄蜥蜴，想要打盹。

我到廚房關掉咖啡機。現在滴答作響的時鐘清晰可聞：滴答、滴答、滴答。我倒了一杯咖啡，接替莉莉獵蜥蜴的工作，變得非常警覺，豎起耳朵聽著蜥蜴移動的聲音。一杯濃咖啡讓我神經緊繃，覺得彷彿很快就會看到另一隻蜥蜴出現。我告訴自己蜥蜴無害，但咖啡讓我緊張。而且，風也正在增強。再一次，矮松拍打著窗戶。莉莉從小睡中醒來。她不喜歡風。

她又躲到衣架後面，這次專注的焦點是討厭的風。經常來我家的訪客常說：「這裡好安靜。」

我總是回答，「如果沒有刮風的話。」

我家離馬路很遠。「有聽到卡車聲嗎？」我問，但我的訪客聽到的只是一片寂靜，他們的耳朵無法留意到接近的車輛。我專注在聆聽之路上的時間，使我的聽力更加敏銳。

聆聽和聽見有很大的區別。

——G. K. 切斯特頓（G. K. Chesterton）

我醒得很早，當時東方的天空才微微亮起。夜裡又下起了雨，現在蒼白的天空又開始變暗。莉莉緊張地在地板上踱步。暴風雨讓她心煩意亂，而這場暴風雨有突如其來的雷鳴，更是討厭。新墨西哥州的夏季冰雹出人意表且非比尋常。莉莉在我身邊徘徊，需要安慰。

「莉莉，沒關係。」我告訴她，但接下來的情況非常戲劇化。第二聲強烈的雷聲出乎我們意料之外，微小的冰彈伴隨軍鼓般的聲音從天而降。我覺得冰雹的聲音讓人安心，但莉莉卻不這麼認爲。我的房子有很大的窗戶，而莉莉不敢向外看。

「親愛的，這只是冰雹。」我告訴她。我很喜歡窗戶，可以鳥瞰暴風雨。我看著冰雹像小彈珠一樣用銀色的冰球覆蓋花園。第三聲雷聲告訴我們風暴還沒有結束。我走到最大的窗戶前，全神貫注看著暴風雨留下它閃亮的貨物。對我來說，冰雹比雨更神祕，比雪更神奇，但莉莉不喜歡，躲在客廳的咖啡桌底下。接著，就像開始一樣突然，冰雹敲擊的鼓聲突然停止。莉莉不相信。我必須哄她出來，把她抱在懷裡。面向花園的窗戶提供很好的景觀，可以觀看暴風雨的沉積物。我把莉莉抱到窗格上。

「不危險。」我告訴她。她扭動著身體，靠在我的胸口。

「不危險。」我用最令人寬心的聲音重複道。我們一起凝視著窗外。暴風雨造成的銀毯很快就會開始融化。

「莉莉，萬歲。」我低聲說。我們蜷縮在雙人沙發上，享受彼此的陪伴。我從大窗望向群山，一束陽光照亮了山峰。從另一個窗戶看向花園，我看到閃閃發光的冰塊，但沒有新的冰雹落下。廚房時鐘的聲音突然清晰可聞。

暮光比平常來得更黑更早。我要去鎮上見朋友。當我上車時，幾滴大雨落下，灑在擋風玻璃上。心跳加速的我從車道上倒退。這不僅僅是暴雨，而是不斷增強的高潮。冰塊大小的冰雹再次從天而降，就像是更高的力量抓著巨大的冰盤，搖動著讓冰塊從天空落下。當我將車駛上高速公路時，冰雹的大小和速度都在增大，已經從冰塊變成雪球。在離家一兩百公尺的地方，我決定折返，希望能安全抵達有掩護的車庫。強大的暴風雨來勢洶洶，我擔心擋風玻璃會碎裂。

我轉進車道，啓動電動門，然後把車開進車庫。冰雹引發了警報，響起刺耳的聲音。我輸入了兩次密碼才讓刺耳的聲音停止。莉莉急忙在門口迎接我。再次落下冰雹讓她非常害怕。

「莉莉，沒事的。」我告訴她。她不相信，在我腳下徘徊。我走到窗前向外望去，冰雹像撞球一樣散落，大塊的冰在露臺上滾動。轟鳴聲規律響起。

「我可憐的花園。」我想。我望向窗外，發現冰讓花園覆上一層白色外衣。百合花仍然傲然挺立，受到創傷的玫瑰垂下，鳶尾花正遭受重創，丁香灌木像被棍棒擊打般低下了頭。

聽見潛在的危機

> 要集中注意力，這是我們永無止境且應該做的工作。
>
> ——瑪麗．奧利佛（Mary Oliver）

從這次的經驗中我學到，如果雨滴聽起來特別沉重和響亮，那就是冰雹，而不是下雨。以後，我不會想在這種時候開車出去。冰雹可能非常兇惡：不是冰彈，而是像雪球大小的冰撞擊地面。

我的電話突然響起。朋友來電取消晚餐，說下冰雹時他正和妻子出去散步。

一輛路過的汽車可憐他們，讓他們搭便車——陌生人的善意拯救了他們。

第二天早上，陽光照在我的房子上。冰已消失，彷彿不曾存在。我打電話給朋友尼克．卡普斯廷斯基（Nick Kapustinsky），約他共進午餐。一路開車下山進城，我哀悼著遭到毀壞的樹木。冰雹襲擊了果樹，讓嬌嫩的花朵從粉紅色和白色變成了棕色。「也許明年樹會長得更好。」我告訴自己。今年，樹木是冰雹的受害者。回憶起在暴風雨中享受景色，我感到內疚，暴風雨造成的銀毯事實上很有殺傷力。莉莉對這場突擊的害怕一點也沒錯。

我在一條繁忙的道路上向西轉，經過連翹的灌木叢。它們昨天還是明亮的金色，但是經過冰雹的襲擊，如今金色外套已失去了光澤。但這是什麼？一排淡紫色的灌木叢閃耀著驕傲的紫色。冰雹沒有打敗它們。接下來，我發現一棵仍然盛開的海棠樹。我制定了一個理論：紫色的花朵可以抵禦冰雹。我記得在我的花園裡，紫色的鳶尾花仍然怒放。也許我的理論正確，我想。帝王紫稱霸四方。

車子向西經過更多丁香花，我的適者生存理論經受住嚴峻的考驗。精心種植的一小片杏樹和梨樹樹林被染成棕色，而附近，四散的海棠樹仍留著紫色的花。杏樹看起來傷勢嚴重，而海棠看起來生氣勃勃。冰雹是個惡棍。我知道，下一次冰雹來臨，我會百感交集。

尼克和我約在我們最喜歡的餐廳：聖塔菲燒烤酒吧，那裡的餐點一向美味。在享用牛排玉米捲餅和藍玉米蔬菜辣醬捲餅時，尼克提起自己愚蠢地冒險在下冰雹時往車上蓋了防水布，以防止車子有凹痕。

「我很幸運，」他說，「如果冰雹打中我的頭，我會流血。」

「你確實很幸運。」我告訴他，想著他其實有多麼脆弱，儘管他很有男子氣概。

冰雹已經過去，但仍舊讓我感到不安，就像我童年遭遇過的龍捲風，猛烈而難以預測。我的擋風玻璃在暴風雨中倖存，但汽車引擎蓋有被擊中的圓形凹痕。

「我敢打賭你車子的凹痕能恢復原狀，」尼克告訴我，「也許不能。我的防水布可能眞的派上用場，我的車沒有凹痕。」

我告訴尼克，冰雹讓我和我的小狗都心煩意亂。

尼克咧嘴一笑，「心煩意亂？我的貓也心煩意亂。冰雹開始下的時候，他在外面，但後來他衝進來，看著我，就像在對我說，『這是什麼狀況？把它搞定。』」

「是啊，」我心想，「就是這樣。」冰雹是神的作為——人類無法搞定。

信念是鳥兒，在黎明前的黑暗中感受到光亮，唱起了啁啾之歌。

——泰戈爾

新墨西哥州的奇觀之一就是暴風雨來得快而迅猛，去得也急。風戲劇化地來了又走。潮濕不會持續，泥濘也乾得很快。冰雹把世界變成了冰雪樂園，但到了第二天早上，又是炎熱的夏日，只留下被打壞的樹木和我撞凹的車。吃完午飯回到家，莉莉待在書房，蜷縮在沙發上，很快就打起瞌睡。我在她旁邊找了個地方，記錄最近幾天的天氣：晴天，然後是多雲；下雨，然後冰雹；冰天雪地，然後晴朗。我想起了硬幣大小的冰雹猛烈落下的聲音，像金屬般響亮。當我回想起聆聽大自然的許多聲音時，莉莉在我記憶的喧囂中沉睡。

試試看

拿起筆，寫出一份天氣報告。是清朗、有霧、晴天、下雨，還是其他天氣狀態？天氣對你的環境和心情有什麼影響？你發現自己「感覺難過或低落」，或者「心情愉快」？記錄那天的聲音。

落下金色的雨

聆聽之路讓我們首先接觸環境的聲音，然後更深入地接觸環境。我們可以停下來聽一聽頭頂樹上樹葉的沙沙聲，然後更仔細聽與看。聆聽之路和連結有關，我們和周圍一切連結。

時序由夏入秋，新墨西哥州的樹葉彷彿在炫耀般，從鮮綠變成了閃亮的銅色。

「來吧，莉莉。車。」莉莉跳上我的速霸陸後座，舒適坐在羊皮毯上。我倒車，開出車庫，一邊對莉莉解釋，我們要爬山路，去在午後陽光下閃閃發光的大齒楊樹林。「會有點嚇人，」我告訴她，「有很多彎路。」

說完，我們就出發。我駛上屋前的泥土路，往山上開去，然後向右急轉，接著又向左急轉，隨即來到鋪設好的路上，下山往市區開去。我開著可靠的速霸陸，在斜坡上呼嘯而過。這條鋪設的道路是老陶斯公路（Old Taos Highway），和州際公路平行。一堵高大的磚牆將兩者隔開，但這堵牆並沒有降低幾公尺外車輛高速行駛的聲音。在州際公路上，運送貨物的貨櫃車隆隆行駛，轎車和休旅車從旁飛馳而過。在牆的另一邊，州際公路上的限速爲每小時一百公里，我所在的公路限速是每小時二十五公里。我來到山丘的頂點，前方有兩條岔路。現在我每小時可以開到六十五公里。州際公路的轟鳴聲變得模糊。

前方的紅綠燈宣布我們正進入市區道路，該信號標誌著左轉和右轉。老陶斯公路的尾端是聖塔菲郡郵局的側面。周遭的喇叭聲有輕有重。我們穿過城市的喧囂，越過峽谷，登上另一座更高的山峰。正如我預期，迎來了連綿的彎路。速限有時會來到每小時十六公里。我遵守交通規則，放慢車速，讓緊跟在後的凌志車主很惱火。每當速限提高時，凌志車主都會按喇叭要我加速。最後，受夠了我的龜速，凌志車主利用短暫的直線道超越了我，疾駛而去，消失在視線之外。

「莉莉，妳還好嗎？」我問。她舒適地靠在羊皮毯上，撐著腿監控彎路。我們每走完一條彎路，高度就隨之爬升。途中經過杜松和矮松，又經過一片白樺林，直到走完最後一個彎道，突然來到一片亮金色的大齒楊林。

聆聽在風中搖曳的樹木，葉子訴說著祕密。樹皮吟唱當年在樹幹周圍生長的回憶，樹根爲所有事物命名。它們的語言已經消失，但姿態仍在。

——維拉．納札瑞恩（Vera Nazarian）

「莉莉，是大齒楊！」我宣稱。它們像點燃的蠟燭，金色的火焰直抵天堂。一時之間，我們沉浸在它們的榮耀中。一陣輕風吹動樹梢，吹落了些許樹葉，就像下了金色的雨。我欣賞這片美，然後下山回家。

「莉莉，很壯觀吧？」我詢問，與其像是跟小狗說話，更像是自言自語。一個人住，我養成了和狗說話的習慣。莉莉的詞彙量很大，至少看起來是這樣。「鮭魚」能引起她的注意，「吃飯」讓她趕緊去廚房取羊肺肉片。艾瑪堅持莉莉懂得「車」這個字——現在是「家」，這個字和概念是她從我們的散步中知道的。

我寧可向一隻鳥學唱歌，也不願教萬顆星星不去跳舞。

——康明思（E. E. Cummings）

「莉莉，家。」我宣布，把車開進車庫。她不願意結束這趟旅程，所以我把她抱到地上問，「鮭魚？」她飛快跑到房子門口。我打開門走進廚房，打開冰箱，剝下一片煙燻鮭魚。她感激地舔了舔我的手指。

滴答、滴答。我可以從兩個房間外的客廳聽到廚房時鐘公布了時間。莉莉項圈上的狗牌敲擊她喝水的碗，我聽到她大口喝水，掩蓋了時鐘的滴答聲。這是一個漆黑的夜晚，看不到月亮。我可以從花園裡辨認出些許星星，聯想到今天看到閃閃發光的樹葉。我覺得自己得到了更強大世界的支持，因爲一次看似微小的冒險可以如此增加我的連結感受，而感到鼓舞。

試試看

進行一次刻意的冒險，有意識地與周圍環境建立連結。無論是在城市還是鄉村，在山區或是在海岸，都可以留心周圍的聲音，然後是環境。你是否有一種與整個世界以及與自然的連結感受？花點時間記下當你有意識地連結時出現的任何洞察。接觸你周圍的環境，你是否感覺到環境也把手伸向你？你覺得自己的覺察提升了嗎？注意這種感覺，並讓它在你重新進入日常生活時與你同在。

聆聽走路的聲音

雪覆蓋山區。山下仍舊溫暖，不需要穿冬衣。泥濘的道路已經變乾，但莉莉仍然小心翼翼走著。我也是。我穿的是新鞋。

「來吧，莉莉。」我催促道。她在歐提斯的遊戲場外停了下來。昨天歐提斯未綁牽繩跑來跑去，追著飛盤，今天他被關在圍欄裡。「過來，莉莉。」我再次催促，但她決心和歐提斯打招呼，可能是要炫耀她的相對自由：牽繩的長度。「莉莉！這裡！」我猛然拉著她的牽繩。一輛車逼近。莉莉感覺到危險，聽了我的話。她在我身邊不停轉圈。汽車經過，車主友善地向我們揮手。一隻烏鴉在頭頂上方叫著。牠棲息在電線桿上，一動也不動。莉莉停下了腳步。她聽到烏鴉的聲音，但沒有看到牠。

「來吧，莉莉。」我輕推。

第二隻烏鴉揮動翅膀飛向桿子的頂端，牠的刺耳叫聲引起了莉莉的注意。她用爪子作勢挖洞，警覺但沮喪。我們今天的散步不時被迫停頓。一隻兔子衝進我們的視線，莉莉追了上去，用力拉著牽繩的末端。兔子的身形和莉莉一樣大，牠衝進灌木叢，讓莉莉感到挫敗。我再次拉住她的牽繩，畢竟，在這次散步中，她應該要當我的同伴。

用眼睛和耳朵聆聽。

——葛拉漢・史皮奇利（Graham Speechley）

兩隻鴿子棲息在電話線上。當我們相安無事從其下經過，牠們一動也不動。這樣的高度讓牠們感到安全。莉莉在我身邊小跑起來，否決我領導這場散步的地位。我們正經過一片草地，不久前才在那裡發現了鹿。莉莉很警覺，準備再次目擊，但我們今天沒有看到鹿。這次旅程現身的動物是烏鴉和兔子。

試試看

想像一下汽車碾過碎石的聲音。拉上一條假想的牽繩，把寵物拉到你身邊。請注意你有多清楚「聽到」汽車駛近的聲音。花點時間來欣賞你對聲音的感覺，將想像力與具體的回憶加以連結。

本週回顧：

你有沒有繼續晨間隨筆、藝術之約和全心漫步？

在有意識聆聽周圍環境的過程中，有什麼發現？

你是否覺得自己與周圍環境的連結更加緊密？

說出一次難忘的聆聽體驗。對你來說，帶來的領悟是什麼？

第 2 週
聆聽他人

懂得聆聽的人才眞的了不起。

——卡爾文・柯立芝（Calvin Coolidge）

本週將從聆聽周圍環境的習慣出發，並開始有意識地養成聆聽他人的習慣。我們可能會了解自己習慣在別人說話時打斷，或思考要如何回應，而非眞正聆聽。或者可能會發現，我們聽得太多卻沒有回應，又或者聽了那些不應該聽的。無論認爲自己已經是多麼好的聆聽者，都可以更靠近地聆聽周圍的人。這麼做時，我們的夥伴將會提供令人驚訝和出乎預期的見解。聆聽他人時，就與他人有連結。

在接下來的內文中，我寫了關於聆聽的內容——但也會聆聽那些善於聆聽的人。他們的見解增加了我的見解。

不只聆聽聲音，也聆聽對方整個身體

聆聽之路的第二週要求我們聆聽其他人的聲音，留心他們實際在說什麼，理解他們的話和意圖。我們需要全面聆聽，記錄所講內容的情感、語氣和音調，也需要記錄說話者的心情，以正確解釋對方傳達的訊息。

「我很好」可以用真誠或諷刺的態度來說，語調承載的資訊與字詞本身一樣多。「我很好」的意思可能正好相反，由我們來決定。報告健康狀況時，「我很好」可能準確，也可能充滿否認。通常必須以直覺確認，好正確解釋該語句。

有兩種聆聽必要存在：內在的聆聽和外在的聆聽；聆聽我們自己和他人的聲音。

人類所有需求中，最基本的是理解和被理解的需求。了解人們的最好方法是聆聽他們。

——洛夫・尼可斯（Ralph G. Nichols）

眞誠的對話需要兩種形式的聆聽。雖然無意撒謊，但說話者可能將難以承受的感覺加以掩飾。「我很好」成爲社會可接受的陳腔濫調。身爲聽衆，我們有責任深入挖掘，例如溫和地詢問：「眞的嗎？」可能會帶來更多的探索和揭露。傷心的是，說話的人可能會承認他們其實不好，反而正受困於難熬的情緒中。我們對其語氣有所警覺與關注，讓他們得以坦率，由此產生的對話變得更有深度和眞誠。警覺的聆聽爲眞正的親密關係打開了大門，引導我們去提問，不是用質疑的語氣，而是眞誠地想要了解。想要確實了解對方想法的這種關注討人喜歡，並能通往眞正的交流，讓對方也想回報關注。聆聽之路可能具有傳染性。眞正聆聽他人時，他人可能會跟隨著帶領，也眞正聆聽我們。在這種專心聆聽的氛圍中，我們會越來越深入，更加坦誠和親密地揭露自己的情緒。

聆聽用的不僅是耳朵。我們聽到了話語，但也必須留心對方的語氣，努力抓到隱藏在話語之下的意圖。善用直覺可能會發現與話語所傳達截然不同的訊息。以健康問題爲例，「我很好。」我們的夥伴可能會這麼說，但說「很好」的語氣涵蓋了多種可能性——其中一個是「不太好」。用心而非理智聆聽，就能捕捉到夥伴的眞實情況。我們以用心聆聽來練習同理心，這是眞正理解的祕訣。

對他人表示同情的最有效方式是聽，而不是說。

——一行禪師

有時，肢體語言更能清楚表達。同樣的，可能話語說的是一回事，但是警覺的注意力告訴我們的是另一回事。肩膀下垂表示「悲傷」，而口中說出的話可能再次斷言「我很好」；交叉雙臂通常表示關閉心房，儘管話語表達出相反的意思。戰或逃的肢體語言表達了眞實的感受。聆聽夥伴的肢體語言和口語時，就能準確辨別眞實情況，不致被膚淺的談話誤導。若能聆聽對方整個身體，我們的整個身體也會發出信號：面對未言明的憤怒，胃可能會緊縮；恐懼使胸口繃緊；喉嚨可能會因未公開的不幸而關起——我們將成爲天線。

聆聽是一條雙向道。我們仔細聆聽，也邀請對方以聆聽作爲回報。追求聆聽之路時，我們與他人的接觸變得更深入，不再膚淺。我們變得更加眞誠，其他人亦然。

我們透過帶著敬意的沉默和低聲的鼓勵來表示關注。我們不說話，會讓夥伴停止表達。相反的，我們透過接納鼓勵夥伴進一步揭露，以低聲的「嗯」和點點頭表示感興趣。在這種鼓勵的推動下，對話變得鼓動人心。

聆聽不僅是不說，雖然即使連不說都超出我們大多數的能力；聆聽代表我們對於得知的內容產生強烈的關注。

——愛麗絲．杜爾．米勒（Alice Duer Miller）

聆聽之路是主動，而非被動的。我們就像球場上的捕手，蹲下準備接住投手投出的球。我們保持警覺、反應靈敏、準備就緒，並允許夥伴來領導、發起和推動。我們跟上，但不接管。相反的，我們藉由跟隨來練習聆聽之路，因爲警覺的注意力而討人喜歡。我們溫柔地引誘對話夥伴說出越來越深入的內容，他們的坦率讓我們歡喜，輪到我們分享時，也會這麼做。

我們以身作則，在別人說話時表達尊重。當對方感受到我們眞的很感興趣，通常會投入得更深，坦率到令人耳目一新的程度。閒聊不再，改爲有意義的交流。獨白把時間讓給對話，分享會變得更加公平無私。透過聆聽與他人合作時，可能會發現對方也開始合作。肢體語言表現出善意，雙臂張開，而不是懷疑的交叉。我們邀請揭露，用全身聆聽，身體的開放說明了一切。有了這種警覺的注意力，和我們談話的對象很快就會放鬆下來。過不了多久，他們的肢體語言就會和我們一樣。我們給予提示，表示願意接受，而他們可能會有樣學樣，做出善意的回應。

朋友是那些詢問我們過得如何，然後等待聽到答案的稀罕人種。

——艾德・坎寧安（Ed Cunningham）

「我知道你的感受。」我們以姿勢表明。我們以同理心聆聽，而同理心比同情心更貼近人心。「我感受到你的感受。」我們發出這樣的信號，甚至可以說出口。受到這麼小心翼翼的回應，即使最自戀的說話者也可能會中斷談話說：「我說得太多了，是不是？」我們聳著肩的同意可能會讓談話從只在乎自己的淺灘轉移到眞正分享的更深水域。我們彎腰向前去找到每個細微差別，就像把身體設爲「接收」的無線電機組，在恰當時機下又能夠很快切換刻度盤改爲發送。聆聽是說話的前奏。深入聆聽時，想法會變得清晰有力。

「好的聆聽者會有意爲對方留下發言的空間。」史考蒂．皮爾斯（Scottie Pierce）博士說，她本人也是好的聆聽者。與她對話時若被打斷，都有其意義。她讓人覺得擁有世界上所有時間，她的夥伴因此就有時間清楚而仔細地說話。

演員兼作家尼克．卡普史汀斯基謹愼選擇措辭。「好的表演關乎好的聆聽。」他說。和史可蒂一樣，尼克說話時也會有些停頓，並完全專注在夥伴身上。他聆聽，然後回應。他「停在當下」，正如他擔任演員時使用的措辭。對話越來越深入，但仍務實理智。他們感覺毫不費力，但那是因爲聆聽之路起了作用。

「我會告訴你一個小技巧，」資深女演員珍妮佛．貝西說，「我練習聆聽，每天打電話給三個人，問他們過得怎麼樣。我不談論自己。我詢問關於他們的事。」貝西輕笑。「把注意力放在別人身上，我就不會那麼在乎自己。」

被聆聽與被愛是如此接近，以至於一般人幾乎無法區分。

——大衛．奧斯堡格（David W. Augsburger）

正如貝西所言，她的「祕訣」豐富和深化了精神生活。她是慷慨的朋友，而她的慷慨值得讚賞。她的友誼網絡廣泛而深厚，有賴於她的細心聆聽。「成爲好的聆聽者是經過練習而來，」皮爾斯斷言。「這並非本能。人們可以加以學習。好的對話是一門藝術。當我們專心聆聽時，會邀請其他人也這樣做，塑造良好的行爲。但我認爲有很多人不聆聽，他們忙於關注自己，不聽取『該你說，該我說』的提示，而是在心中演練接下來要說的話，所以他們的心根本不算眞正在場。」

練習聆聽之路時，不會忙於拒絕承認，而是專注於接受他人的現實，並因此發現自己的現實變得更加清晰。正如皮爾斯所說，如果和不聆聽的人說話，身體可能會以緊繃來回應。「他們沒有在聽。」我們的胃會這麼說。與他們交談只是徒勞，於是我們選擇放手，而非向前推進。我們不失禮地道歉：「我得走了。」

學習聆聽他人並非不再聆聽自己。聆聽之路不是讓你成爲受虐狂；相反的，它很實際，建立的基礎來自準確評估自己在何處以及和誰可以體驗互惠與對等。透過聆聽他人的意見，我們記錄了他們深入參與的能力，並專注在能夠以善意回應我們的人身上。他們是我們的相信鏡，而我們仔細地一一蒐集。因爲深入聆聽他人，我們也認可那些能夠以聆聽作爲回報的人。他們測試了我們的作爲是否正確，反映了我們的潛力和力量。

我最近買了一棟房子，是二十年來頭一遭。買房感覺像是許下重大的承諾，於是我轉向我的相信鏡尋求建議。「這棟房子非常適合妳，」皮爾斯說，「它安全、舒適，又宜人。」我因此放心。

「妳會喜歡這棟房子，」貝西說，「它有山景和花園，是妳心心念念的兩個優點。」我因此放心。

「我認爲這棟房子適合妳，」萊弗利說，「陽光充足，空間又寬敞。」我因此放心。

說真話需要兩個人——一個人說，一個人聽。

——梭羅

聽了相信鏡的回饋，我決定拋開恐懼，買下房子。我的相信鏡對我有信心，認爲成爲物主對我有好處，他們說：「妳應該擁有自己的家。妳値得擁有一個妳愛的家。」

買房子時，我不僅聆聽相信鏡，也聆聽自己。我的朋友傑洛德．哈克特（Gerard Hackett）一步一步引導我完成購屋的程序。「這是一棟好房子。」他消除我的疑慮。「我也同意。」我的會計師史考特．貝爾庫（Scott Bercu）說——他是另一面相信鏡。受到相信鏡鼓勵，我注意到他們對這項嘗試的樂觀對我而言很眞實，而我也有同感，同時深信可以而且應該購買我有共鳴的房子。聆聽相信鏡幫助我聆聽自己。

隨著時間推移，會越來越清楚誰能擔任自己的相信鏡。五十多年來，傑洛德一直是我珍貴的朋友，他沉穩而冷靜。遭遇意外狀況時，他會仔細聆聽，然後找出合理性。身爲聆聽之路的長期實踐者，傑洛德仔細聆聽，理解我的緊張並溫柔消除我的焦慮。他不會恐慌。

我在教學時會談及我那些擔任相信鏡的朋友——特別是傑洛德。「但是，茱莉亞！如果我沒有像傑洛德這樣的朋友怎麼辦？」我有時會被問到。

我解釋，仔細聆聽朋友和熟人是整理的過程，能夠藉此了解有些人比其他人更健全，而最健全的那位可能就會成爲傑洛德。

深入聆聽他人，同時深入聆聽自己，使我們達到平衡，並開啓智慧。隨著時間過去，聆聽變得自然而然。我們透過練習聆聽之路了解到，聆聽比不聆聽更令人滿意和愉悅。當我們聆聽時，我們的夥伴也在聆聽。

成功對話的關鍵是互惠。如果一個人在對話中滔滔不絕，就無法成功練習聆聽之路。「該你說，該我說」是我們追求的節奏，就像在跳舞一般。好的對話是學習的機會。每個人都充分分享，在旁見證的夥伴吸收新想法。我們可以感覺到明顯的流動並加以回應。我們聆聽暗示，知道何時輪到自己說話，不會過早打斷對方。

一旦打斷對話，就失去了寶貴的學習機會。若能不間斷，夥伴可能會提供嶄新且經常令人驚訝的故事。「我從來沒有那樣想過。」開放耳朵和頭腦接受新奇的想法，就能開始思考。我們學著去聆聽，也靠聆聽來學習。在練習耐心的過程，我們邀請夥伴充分探索一個想法。我們可能會發現自己很想打斷對方，但知道思路不間斷的價值，而抵擋了誘惑。夥伴一開始會因爲我們的警覺注意力而嚇一跳，但接著會感到高興。解開錯綜複雜的思路之後，夥伴發現新想法，從而讓彼此都能學習。

除非你從對方的角度考慮事情，否則永遠不會眞正了解一個人。

——哈波・李（Harper Lee）

充分聽取夥伴的意見需要耐心。有時，他們的思想複雜而細密，不容易理解，必須全神貫注，一點都不能分心。表現出警覺、認眞、善解人意，因此發出「你很重要」的信號，如此一來就能達成深度對話——不覺得倉促、彼此滿足的對話。尊重夥伴很重要。

試試看

在接下來的一週裡，仔細聆聽並全神貫注於與朋友的對話。你可能希望記錄自己的反應。有些朋友比其他人更善於聆聽，用筆記下朋友的互惠表現「好、壞、中等」，這麼做可以讓你在朋友中找到相信鏡，而那個朋友能讓你看見自己的力量和可能性。留意讓你感覺樂觀的朋友，那個人是無價之寶。

聆聽那些聆聽的人

我二十多歲時曾在《華盛頓郵報》工作，進入了我人生中的新聞工作時期——先是爲《華盛頓郵報》撰稿，之後爲《滾石》雜誌撰稿。我親眼目睹並了解到，最好的記者會跟隨故事，而不是試圖控制故事。換句話說，他們聆聽。當作家讓故事自然展開，而不是在還未成熟之前就試圖塑造，最有趣和最眞實的報導就能完成。我打算加以效仿，聆聽我採訪的人，保持接納和開放，並讓他們有充分的空間分享認爲的眞相。當我聆聽時，他們分享得更多，而隨著分享進行，故事的樣貌對我來說變得明顯。當我聆聽時，故事就顯露出來，而隨著故事的顯露，寫作也變得輕而易舉。

撰寫這本書並想著聆聽，讓我又回到那些日子。我決定要邀請朋友談談關於聆聽——我也會聆聽他們。

你有沒有注意過，房間裡最迷人的人似乎更滿足於聽而非說？

——蕾夏爾・古德里奇（Richelle E. Goodrich）

諷刺的是，就在我決定這樣做時，我的電話壞了。

「茱莉亞，妳在嗎？我聽不到妳的聲音。」電話那頭傳來艾瑪擔心的聲音。

「是的，我在。」我回答。

「茱莉亞，我聽不見。」

「艾瑪？艾瑪？」我試著大聲說話。

「茱莉亞，我還是聽不見妳說話，」她繼續說。

「我用手機打給妳。」我大聲而清晰地說。

我掛斷電話，然後用手機撥號。

「艾瑪？」當她接聽時我問。

「茱莉亞！現在比較好。我能聽到妳說話了。」

「我的電話壞了，」我告訴艾瑪，「我的家用電話。」

「對，我聽不到妳的聲音，但我確實聽到了很多雜訊。我送妳一部新電話。」

兩天後，新電話到了，一位朋友幫我安裝。我試著打電話給艾瑪。她接聽時宣稱：「我還是聽不見妳的聲音。」

我掛斷電話，用手機打給她。「艾瑪？」

「現在我能聽到妳說話了。」

「這次我又是用手機打給妳，電話線路一定有問題，我猜話機本身沒問題。」

「妳最好打電話給電話公司。」

我眞的打了電話，下週技術人員會來修理。這是我能約到最快的時間，但似乎還不夠快。

電話再次響起。這次是珍妮佛來電。

「我聽不見妳說話，」她抱怨，「妳確定電扇沒開著？」

「不。我家的電話線路有問題。」

「什麼？我聽不到妳的聲音。」

「我用手機打給妳。」

「什麼？妳的電話有問題。」

「再見。我會打電話給妳。」

於是我用手機打給珍妮佛。「珍妮佛？」

「我在，現在比較好了。妳確定妳沒有開電扇？」

「珍妮佛，我跟妳說了，我沒開電扇，是我家的電話線路有問題。」

「這樣的話，妳得做點什麼。剛剛聽起來感覺就好像妳在一公里之外，在水底下。」

我決定親自進行採訪。我會邀請朋友見面喝咖啡或吃飯，然後聆聽。我再次想起當記者的那些年，那時人們喜歡親自會面勝過講電話。我對家用電話失去信心，於是拿起手機與認識的優秀聆聽者確定會面時間，他們包括：視覺藝術家、演員、音樂家、作家、教師、電影製作人。當我和不同的朋友聯絡時，對於他們眾多不同類型的聆聽練習感到震驚。我的朋友都很積極，很高興聚在一起談論這個主題。我定下一個又一個約會，選定不同的地點，與經常見到和很少見的人制定計畫，因此再次了解聆聽如何帶來連結。我期待「現場」見到朋友，甚至看到家用電話壞掉這片烏雲的銀邊。每一次會面都是一次冒險。一定會很有趣。

身為聆聽者的雕刻家

我家門口有人敲門。現在是四點鐘，我約好與藝術家以斯拉．赫巴德（Ezra Hubbard）見面。

我打開門，一位高瘦的年輕人走了進來，以擁抱作為招呼。如今四十出頭的他，在十六歲和我相識時，是個有天賦的少年。現在他的天賦已經綻放，也正在追尋藝術生涯。他的一件雕塑作品在我的客廳裡享有崇高地位。他作畫，也雕刻，甚至創造了跨學科的裝置，顯然喜歡所有的藝術形式。我給他倒了一大杯水，他眨著眼收下。

「玻璃杯很漂亮。」他說，一邊喝著手繪墨西哥燒瓶裡的水。我們爲他的職業乾杯。

「我有一個半小時的時間，」我告訴他，「然後我要進城。我們去遛狗如何？」

我知道他會接受這項邀請。從他十幾歲起，我們就一起遛狗。那時我四十多歲，正是以斯拉現在的年紀。

「莉莉的牽繩呢？」以斯拉用詢問表示接受。我從衣架拿下莉莉的牽繩，以斯拉繫在莉莉的項圈上，然後我們出發。這是個初秋晴朗涼爽的下午，莉莉開始小跑。

「慢慢來，以斯拉。」我告誡道。他輕輕拉著莉莉的牽繩，讓她放慢腳步以配合我們沉思的步伐。

「以斯拉，聆聽在你的藝術中扮演重要角色嗎？你怎麼看？」我渴望聽到他的回應。

「當然，聆聽很重要，能告訴我下一步該做什麼。我一邊聆聽，一邊創作；

接著再聆聽，然後創作。」

想要成功，有一部分是關於提出問題和聆聽答案。

——安妮．布瑞爾（Anne Burrell）

「所以聆聽是直通線？」

「一點也沒錯。」

我們慢慢走著。莉莉往前飛奔，將牽繩拉到最緊，以便好好嗅探一枝黃的金色灌木叢。以斯拉有消息要告訴我：他和妻子正在出售他們在佩科斯的大院，打算搬到紐約，他們在那裡度過了兩個快樂而富有成效的夏天。

「在紐約，我有一群志同道合的夥伴，」以斯拉解釋，「我們在佩科斯太孤立，沒有對象可以分享作品。」

「所以你想念其他藝術家？」

「是的。在紐約，我能以持續的對話來為我的藝術提供素材。」以斯拉停下腳步，拉了拉莉莉的牽繩。

「我們走這條路。」他建議，走向一條泥土路。

莉莉猶豫了片刻，跟了上去。

「我認爲藝術是一場心靈之旅，」以斯拉停頓了一下，繼續說，「他們說上帝透過人對我們說話，而紐約到處都是人。」

聆聽是具有心靈意義的禮物，你可以加以學習，並給予他人。

——諾曼・萊特（H. Norman Wright）

「難道說紐約到處都能遇見上帝嗎？」

以斯拉笑了。「我不知道我的紐約朋友會不會這麼想，但我是，」他主動說，「我永遠不知道什麼時候會聽到什麼。」

「所以你要去紐約聆聽？」

「或者被聆聽，」他提出，「我不喜歡在隔絕的環境中創作。在紐約，我的作品很受歡迎。」

我們在友好的沉默中繼續前行，然後以斯拉開啓話題。「妳問起聆聽，」他說，「我的生活就是聆聽。早上我寫晨間隨筆並聆聽。想法湧入我的腦海，有時發生在我完成晨間隨筆之前。我聆聽並計畫當天的行程。我聆聽自己的想法，也聆聽寂靜。有時我會散步並聆聽。你知道，紐約是非常適合散步的城市，我總會邊走邊整合想法。」

有以斯拉這個朋友在佩科斯這麼近的地方，對我來說是一種奢侈。我會想念他，也會讓他知道。但我認爲，對他來說，搬家是個好主意，我也這麼跟他說。在我定居聖塔菲之前，我在紐約住了十年，也認爲紐約對藝術創作有益。

「我的順序顛倒了，」以斯拉大聲說，「大多數人先住在紐約，然後搬到聖塔菲。我和大家相反。」

「這麼做會很棒的，以斯拉。」我告訴他。我們的談話讓我很滿意：他練習了聆聽之路，而且受到良好和仔細的引導。

試試看

找個朋友出去走走，詢問有哪些受到擱置的計畫（如果有），互相了解最新情況。

以聆聽來學習

尼克．卡普史丁斯基看起來風度翩翩，我們約在彼此都很喜歡的紅色安奇拉達餐廳見面。這是一家隱密的新墨西哥餐廳，若沒有特意尋找，很容易會錯過，但常客認爲此處提供了聖塔菲最好和最正宗的食物。牆壁上裝飾著純樸的壁飾，雅座漆成亮綠松石色。尼克從頭到腳一身黑，頭戴紅色棒球帽，鬍子剃得很整齊，說話也很俐落。

「我從小就學會聆聽——我是獨生子，」他說，「大人總是說著我聽不懂的話，我不能打斷他們。」說起這件事，他聳了聳肩。

「我父親是粒子物理學家。」他繼續說。「討論的話題都是質子和中子——這個世界從大爆炸開始。我一邊聽一邊學習。我的父母彼此交談，而他們的談話沒有間隙。我的父親智商很高，母親很聰明。我也很聰明，但插不上嘴，所以學會聆聽。」

仍舊是聆聽者的卡普史丁斯基停頓了一下。「我會不會說得太多？」他問。「我別無他法，只能成為聆聽者。我的父親很有魅力，我很尊崇他的才智。直到很久以後，我才意識到我也有自己的故事。」

我認識的大多數成功人士都是聽多於說的人。

——伯納德．巴魯克（Bernard M. Baruch）

身為作家和演員，卡普史丁斯基如今終於站在舞臺中央。童年的經歷使他成為現在我們見到的敏感藝術家。身為作家，他是觀察者，而身為演員，他積極地回應同臺演出的人。他熱情洋溢又大方，不搶風頭。他從雙親那裡學會了等待時機，從不打斷別人。他學到「用聆聽來學習」，並付諸實踐。與他的對話有深度的收穫。停頓雖然打斷了對話的流動，但他有耐心地等待夥伴得到完整的想法，不會介入，也不冒進。因爲他學會要聆聽，所以聆聽，同時心懷尊重。他的全神貫注催生了深刻而充滿活力的對話。從一個話題到另一個話題，他從不急於求成，也不催促別人。聆聽對他來說是一種神聖的信任。

理想的談話必須是思想交流，而不是像許多最擔心自己缺點的人認爲的那樣，是機智或雄辯的有力展示。

——艾米麗·波斯特（Emily Post）

「妳是說？」他可能會感覺到說話者未完成的想法而給予提示。他溫和地刺探、鼓勵夥伴探索更深的水域。他以警覺的注意力聆聽，邀請對方揭露。可以把他想成一個孩子，全神貫注聆聽長輩說話。身爲有魅力父親的孩子，他自己也很有魅力——輪到他說話時，他既高尚又優雅。

試試看

約朋友喝咖啡、吃飯，或在戶外長椅上聊天。帶著學習的意圖仔細聆聽朋友說話。我們可以向聆聽的每個人學習。當你關注結果時，會發現什麼？你學到了什麼？

聆聽人臉

人像畫家辛西婭．馬瓦尼（Cynthia Mulvaney）在她新買下並彩繪的房子裡，坐在眞皮沙發上。她穿著藍色牛仔褲的腿盤在身下，穿著毛衣的上半身轉過來面對我。我們剛吃完感恩節晚餐，正在談話。當她的未婚夫，丹尼爾．瑞振（Daniel Region）為我們煮咖啡時，辛西婭主動提到：「他的聲音吸引了我，他有堅定但友善的聲音，會讓人想要對他說話。」

就在這時，他端著兩杯熱騰騰的咖啡從廚房出來。「給妳，」他說，把杯子放在咖啡桌上。「如果需要什麼就跟我說。」

「謝謝。」辛西婭說，然後又轉向聆聽的話題，表達了很多想法。

「身爲人像畫家，我總是試圖去領略人的模樣，」她說，「我聽他們說話，記錄所聽及所見，這些內容會告訴我一些關鍵的資訊，比如，『我的父親人很好，而我也試著做個好人。』我會盡力在繪畫時把這樣的特質表現出來。」辛西婭大步走到櫥櫃旁，在翻看抽屜時轉過身來說話。她想告訴我她的意思。

「我是紐約哥倫比亞郡藝術委員會的主委，」她繼續說，「因爲這樣的身分，我遇到了很多有趣的人。藝術家會因爲想找展示作品的場所而來拜訪我，於是我們會交談，有時聊上幾個小時。我因此認識了在藝術背後的人，發現他們過著各種有趣的生活。我開始思考，想把他們的故事講出來，社區中的人也應該知道我遇到的人多麼有趣。這個想法的種子開始萌芽，於是我申請了補助，也贏得補助。我採訪一些人，寫下故事，也畫了肖像，並要求每個人提交一張他們喜歡的自己的照片。這個計畫讓我很滿意。我喜歡人臉，並試圖捕捉他們的眞實樣貌。」

聆聽，而不是模仿，可能是最眞誠的奉承。

——喬伊思．布拉瑟斯（Joyce Brothers）

辛西婭翻閱了一組三十二張圖片，她的人像畫使主角和他們的故事栩栩如生。她說：「我的採訪教會了我他們的眞正本質。聽著他們說話，我和他們的連結越來越緊密。這不僅是表面的，每個人都有有趣的故事。如果你和別人說話並加以聆聽，他們會有很多事情要告訴你。我認爲我善於聆聽。有些人會打斷別人，那非常可惜。當你聆聽，眞正聆聽時，表明你很在乎。這種態度有所助益，也會鼓勵別人。你學會了原本不知道的事，而那些事很迷人。我一邊聽一邊學習，並認爲聆聽是一門藝術，一種需要思考的技能。接受資訊需要時間。我有意識地決定我寧願聽而非說。當你聆聽人們時，你正在創造美麗的事物。」

試試看

蒐集心愛的人的心愛照片。照片裡有哪些明顯的人格特質？照片會不會讓你聯想到哪首歌曲？買張卡片寄給心愛的人，寫下：「我聽到這首歌，想起了你。」

聆聽就是認可他人

佩格．吉爾（Peg Gill）苗條纖瘦，留著金色鬈髮，有著警覺的藍眼睛，穿著休閒時尚。她是記者，也是一家非常成功的地區生活雜誌《走進哥倫比亞》（*Inside Columbia*）的副總編輯。該雜誌成立於二〇〇五年，十分暢銷，介紹密蘇里州哥倫比亞市的居民生活。

吉爾描述了這本雜誌。「我們做了一個名為『邂逅』的單元，在這個單元中向讀者介紹我們認為社區中有趣、值得了解的人。」吉爾解釋。她的工作是採訪這個單元介紹的對象，而在她的工作中，聆聽很關鍵。她解釋了她的策略。

「我問受訪者喜歡什麼樣的受訪方式——親自見面、透過電子郵件或電話。準確很重要，而聆聽是關鍵。太多人沒有耐心，習慣打斷別人。我們傾向表達自己的想法，卻不願意給別人額外的時間，將他們的想法表達完全。以一個社會來說，我們的步調太快，以至於無法提出建議。我們甚至想要幫別人說完他們的想法或句子。」

吉爾推論，「人們太忙，速度太快。花時間聆聽需要專注，並在當下此刻保持臨在。不是急忙向前，而是要嘗試了解對方說的全部要點。你可能列出了問題清單，但對方不見得依照你計畫的走。你需要有效聆聽並跳脫原來的思路。如果你聆聽，有時故事可能會發展出不同的路線。你可以計畫，但對這個主題來說並不是最好的處理方式。你必須願意**眞正**聆聽。不堅守問題，才能開啓更深層次的聆聽。」

眞正的聆聽和等著輪到你說話有其分別。

——愛默生

吉爾解釋了她的發現。「很多人都很寂寞，眞的是如此。人們喜歡被接納與認可，但在日常工作環境中可能無法達成，經常感覺不到自己的聲音被聽見，或是得到別人的聆聽——而採訪就是在認可。」

她進一步說明想法。「社會上有很多膚淺的對話，既禮貌又儀式化，但無法進入更深的層次。這樣的對話只是在浪費時間。很多人試圖輕描淡寫，不願意往更深的層次走去，而只是表現出和善的樣子。這樣的互動，人們無法聆聽，只是做出反應，因爲話題太容易分歧。這種情況很艱難，也讓人悲傷。」吉爾嘆了口氣，並做出結論：「聆聽需要耐心，非常需要。人們很容易會想幫對方把正在思考要說的話語說完，或是表達他們的想法，你認爲自己知道，但其實可能不然。人們很難給別人時間完整表達想法，這需要耐心。耐心是聆聽的重要組成部分。」

試試看

很多人都很寂寞。抽出時間打電話給遠方的朋友，要有耐心聽他們說，詢問他們過得怎麼樣，並給予時間和空間讓對方好好回答。打完電話後，寫卡片寄給他們，告訴他們，「我真的很喜歡聽到（對方說的某件事），謝謝你的分享。」

不搶走他人的對話

國際知名的中世紀主義者和小說家約翰・鮑爾斯（John Bowers）是一位瘦削、鬍子修剪整齊、衣冠楚楚的男士。他的眼睛炯炯有神、表情靈活，打扮得像教授，用獨特的語句說話，熱情地探索關注的主題。和我談起聆聽時，口才便給，說話流暢而堅定。

「我身為作家的工作始於我身為讀者的經歷。我閱讀的速度很慢，按照腦海中說話的速度閱讀。近年來，我愛上了神奇的有聲書。聽他們說，我了解偉大的作家都應該被聽到。」約翰停頓了一下，讓想法沉澱。

「珍・奧斯汀，」他繼續說，「向家人大聲朗讀她的小說。當我聽著由優秀女演員茱麗葉・史蒂文森（Juliet Stevenson）錄製的珍・奧斯汀有聲小說，能聽到她語句的美妙流暢和節奏。即使在《魔戒》的有聲讀物中，我也聽到了美妙流暢。托爾金向跡象文學社（Inklings，牛津的一個文學團體）的朋友大聲朗讀小說的章節。」

「當我寫作時，」約翰解釋說，「我會聆聽其中的句子。我聆聽其中的角色，想像著角色們互相聆聽。在我的小說中，一個角色會提醒另一個角色，『你記不記得你說過……』，角色們一直在互相聆聽。」

艾瑪覺得她現在不能表現出比聆聽更大的善意了。

——珍·奧斯汀

「我猜想他們會稱此爲小說的風格，」約翰推測，「不斷意識到說出來的話語。即使在敘事段落中，我也會聆聽敘述者的聲音。我創作角色時，會聆聽他們的個人風格和節奏。」

約翰若有所思地繼續說，「有句諺語說：學習聆聽，以聆聽來學習。學習成爲更好的聆聽者要窮盡畢生之力。我總是聽了朋友的第一句話，就忍不住把對話搶過來，用一大段話回覆，而不是讓朋友繼續說第二句話。當我劫持談話時，我只是在說已經知道的事；當我聆聽時，就能學到原本不知道的事。學會聆聽，以聆聽來學習。」

約翰在坦白後稍作停頓，說自己：「我不是好的聆聽者。」並進一步評論，

「我認爲作家的挫敗感在於，能夠在小說中編寫對話腳本，但在現實生活中卻猜不出別人會進行什麼樣的對話腳本。無論我認爲自己知道某人在現實生活中會說什麼，他們說的卻總是超出我原本的預期，所以我需要聆聽。」

我對於展示我能做什麼的需求，讓我無法了解其他人可以做什麼，以及我們可以一起做什麼。

——凱特．墨菲（Kate Murphy）

約翰最後說：「在我的寫作中，有時最神奇的時刻是，一個角色說出即使是我身爲作者也沒想到會聽到的話。」

試試看

打電話給朋友，問他們過得怎麼樣。不要搶走對話。相反的，練習耐心。讓朋友暢所欲言。他的話讓你感到驚訝嗎？你在學習聆聽，並以聆聽來學習嗎？

聆聽是黏合劑

托德．克里斯滕森（Todd Christensen）是留著紅金色頭髮的魁梧男子。衣著隨意，神態從容，又不失警覺。他是電影人、外景製片人和勘景員——而在空閒時間，他是出色的畫家。我在五個城市和托德保持聯絡長達三十年，了解他一直以來的善良和慷慨。當我請他談談聆聽時，他欣然同意。聆聽是他工作的重要部分，他對此很有想法。

「聆聽非常重要，」托德開始說，「我告訴人們我所做的事，然後聆聽他們的顧慮。我聽導演的說法，然後聽外景的。雙方都有其顧慮，而我的工作是聆聽他們的意見。這是配合的問題。找到位置是工作的第一步，再來就是聆聽。我試圖盡可能從該外景地點獲得最多的自由。」

托德停頓了一下，想要說清楚。片刻之後，他舉例繼續解釋，「最近我為柯恩兄弟（Coen Brothers）工作。我找到了一個外景地點，然後聽到了主人的擔憂，但也聽到他有意願。我告訴他，我們選定外景地點之後，會盡量小心不破壞。我們去拍戲的那天，那傢伙很緊張。我帶了喬爾．柯恩（Joel Coen）和他談。聽到需要配合的內容，我試圖讓雙方達成共識。我聆聽，希望雙方都滿意，而聆聽讓我能夠為可能的災難找到解決方案。聆聽成為我使雙方都同意繼續的管道。一旦他們滿意聽到的內容，我們就可以繼續工作。」

好的聆聽者就像珍貴的寶石，值得珍惜。

——沃爾特．安德森（Walter Anderson）

托德回溯一次工作流程以確保我理解。他解釋，「首先，我與美術指導討論。他告訴我他想要什麼。然後我與製片人討論，他想知道『這要花多少錢』？接下來我們與導演討論，他同意或不同意我們向他展示的內容。聆聽占了我工作中很大的比重，我必須了解每個部門的需求，然後滿足這些需求，包括二十到四十個外景地點。」

迄今為止，托德製作了三十四部電影，從《西部老巴的故事》到《飢餓遊戲》和《魔球》。他繼續說，「我會把聆聽的內容記成筆記。一旦寫成文字，我就不會忘記。然後，在外景勘查時，我會聽從直覺。我聽從內心的感覺。」

托德認爲自己說得還不夠清楚，繼續說道，「聆聽創造了有利的基礎。聆聽是一種尊重的態度。我很小心，聆聽時不會給予任何負面資訊。我可能會說，『讓我確認一下。』而我通常知道答案。假設他們想要封鎖一條道路十二小時，我知道我們可能只能封鎖四小時。當我聆聽時，我不必立即回答。我聽，並回答：『我需要解決這個問題。』」

托德有了結論，用一句話總結想法：「聆聽是聆聽之後發生的大部分事情的黏合劑。」他詳細說明：「導演、助理——每個人都依賴我的仔細聆聽。對於聽到我們需要做什麼來呈現在螢幕上來說，我的聆聽很重要。如果我聽錯了，會影響到每個部門。聆聽是把一切整合在一起的黏合劑。」

試試看

獨自去看電影，注意重要的場景，問自己，「如果場景設置在別處呢？場景設置對場景的意義有多重要？」例如，如果場景設置在摩天大樓頂樓，那麼設置在地面上會有相同的張力嗎？想像聽到美術指導說：「這個場景的設置一定要有威脅感。」想像自己記下「威脅感」。你能滿足他的需求嗎？

仔細聆聽才能觸及眞實

珍妮佛．貝西的嗓音撼動人心，低沉而充滿激情。纖細、銀髮、輕盈的她，當了五十三年的專業演員，她的藝術工作訓練她去聆聽。「我認爲聆聽可能是我們做的最重要的事情，」珍妮佛斷言。「當你眞正聆聽，眞正處於當下時，你是在學習，學習從別人那裡蒐集資訊。當你聆聽時，可能會笑，可能會哭，可能會聽到一些幽默或悲慘的事。」珍妮佛停下來，整理思緒。

「聆聽是一門藝術，」她繼續說，「可以加以學習。眞正聆聽時，有些東西會激發靈感，讓你很想打斷，但你不能。與其打斷，反而應該讓對方說完，讓他們清楚陳述自己的想法。當你聆聽人們，他們會愛你。」

珍妮佛證明她的觀點。「嫁給世界上最有權勢男人的女人都有一個共同點：她們是很棒的聆聽者。伊麗莎白．泰勒是很好的聆聽者，她會睜著紫羅蘭色的大眼睛專注看著說話的人，使對方成爲房間裡最重要的人。諾維．考沃（Noël Coward）也是很棒的聆聽者。當你說話時，他會全神貫注，讓每個人都覺得自己很重要。我已故的丈夫路德．戴維斯（Luther Davis）是很好的聆聽者。許多作家都是很好的聆聽者——他們總是在蒐集資訊。就個人而言，如果你身爲演員，卻不認眞聆聽，麻煩就大了。表演就是聆聽、反應和回應。就像打網球一樣。」

珍妮佛停下來整理思緒，用嘶啞、誇張的聲音繼續說，「當你墜入愛河時，會更加專注當下並聆聽每一個字。墜入愛河時會一直聆聽，想聽喜歡的人的聲音。當我和丈夫見面時，我們花幾小時談論事業和生活，我就是如此深陷其中。」珍妮佛笑著回憶，接著說：「一個人的聲音可以讓你墜入愛河，想想電影《大鼻子情聖》裡的西哈諾（Cyrano de Bergerac），女人愛上了他的聲音——愛的是那個醜陋的大鼻子男人，而不是金髮的英俊男子。聆聽讓她墜入愛河。」

表現出讚賞的聆聽者總是能激勵人心。

——阿嘉莎．克莉絲蒂

珍妮佛的聲音低了八度。她開始反思，並做了令人驚訝的告白。「我有注意力缺陷障礙——ＡＤＤ，」她說，「我必須真正專注，什麼也不管，只聆聽。所以有時我是很好的聆聽者，有時我不是。因爲ＡＤＤ，我的心智就像在高速行駛的火車上，我必須努力讓它慢下來，才能聽到，眞正聽到對方在說什麼。我希望能成爲好的聆聽者，也努力成爲。我會根據人們的聆聽程度來評價他們。」珍妮佛最後的想法源於她的經歷，「如果你不夠臨在，就無法準確記得。你的記憶變得有缺陷，不完全準確。」

「仔細聆聽才能觸及眞實？」

「一點也不錯。」

試試看

回想你墜入愛河的時光。你和愛人有過愉快的交談嗎？當時你在哪裡？簡單描寫場景，舉例如下：「我們在瑞吉酒店的塞西爾．比頓套房裡。套房的配色大膽，有扇可以俯瞰第五大道的圓形窗戶。我們一起躺在鋪著地毯的地板上。

只要聆聽，靈感就會出現

我和艾瑪．萊弗利一起工作了將近二十年。艾瑪是位美人，留著白金色鮑伯頭，身心健康。全身黑、打扮得像藝術家的她，看起來很有創意，穿著束腰上衣和顯瘦的長褲。身爲聆聽之路的長期實踐者，她依其規定而進化。我們第一次見面時，她剛拿到中提琴演奏的碩士學位，如今已成長爲出色的作曲家。這些年來，我親眼目睹了她的聆聽技巧提升。我請她跟我談談聆聽，謙虛又有風度的她同意了。

「聆聽對我來說非常重要，」艾瑪開始說，「我受過音樂家的訓練，所以很努力聆聽一切，也聽到一切。我認爲有些人仔細聆聽，有些人不聆聽——習慣打斷別人。我認爲讓人們把自己的想法表達清楚並仔細聆聽是好事，因爲我們通常不知道他們會說什麼，即使自以爲了解。聽別人準備說些什麼會很有趣。事實上，如果你讓人們說出必須說的話，總是非常有意思。」艾瑪停頓一下，整理思緒，接著說，「你可以像鍛鍊肌肉一樣培養聆聽，養成聆聽的習慣。這是注意力集中的問題。我認爲，如果你眞正聆聽別人，往往會記住他們要說什麼，這樣你才能學習。」

我請她跟我談談身爲作曲家的心得——對我而言，這是專業的聆聽。「啊，讓我想想，」艾瑪開口道，「我的一位老師曾說，『音樂就在某處，作曲家則是尋找音樂的人。』寫曲時，我『聆聽虛空』並尋找靈感。只要聆聽，靈感就會出現。我尋找音樂並嘗試加以塑造。我猜，這有點像是把它從空中拉出來。我很小的時候開始寫歌，大概四、五歲左右。我一直在聽音樂，無法想像不聽音樂的生活。隨著時間過去，我更懂得覺察，學習好好聆聽，所以我一直是作曲家——只是隨著時間變得更好。」

艾瑪停止說話。她的謙虛立刻追了上來。她在想，自己在吹牛嗎？我向她保證沒有。

她於是繼續，「我從演奏別人的音樂開始，一直到自己寫曲，一切變得更具挑戰和令人興奮。這麼做似乎風險更大，也像我需要做的事。我受到吸引。我寫得越多，就知道得越多。迄今爲止，我已經寫了六部音樂劇。我不斷迸出新的想法——這些想法在召喚我。」艾瑪不願繼續說下去，但我會嘗試勸她。

聆聽是一種精神上的款待，你邀請陌生人成爲朋友，更加全面了解他們的內在，甚至敢於對你保持沉默。

——亨利．盧雲（Henri J. M. Nouwen）

「說說妳怎麼填詞。」

我懇求道。

艾瑪把心中所想大聲說出。

「當我填詞時，我覺得我會提前聽到一點，感覺有點像聽寫。歌詞更像數學；你必須把答案放進對的格子裡，在周遭尋找合適的字或詞——我通常知道在尋找什麼以及怎麼押韻。就像是聆聽替代方案，直到找到適合的答案爲止。」艾瑪的結論仍舊謙虛，「我想我已經學會成爲更好的聆聽者。如果你像我一樣專注聆聽，你確實會成爲更好的聆聽者。」

試試看

找一首最喜歡的音樂，仔細聆聽。你聯想到什麼？再聽一遍——再仔細聽一次。聯想到的還是一樣嗎？你認為作曲家怎麼想？

你聽得到我嗎？

電話聲響起，我急忙接聽，忘記打電話來的人聽不見我的聲音。電話是珍妮佛打來的，她聽不到我的聲音，開始不耐煩。「妳什麼時候才要把電話修好？這真的很糟。」

我跟她解釋，維修員來了我家三次，都徒勞無功。她聽不到我的解釋。對她來說，我的聲音聽起來斷斷續續，就像在水下說話一樣。

「什麼？」她說，「我聽不見。」

「我用手機打給妳。」我說。我確實這樣做。

「哈囉，」珍妮佛說，「現在好多了。」

「我用手機打給妳的，」我告訴她，「妳好嗎？」

但珍妮佛不會因此斷念。「妳爲什麼不能把家用電話修好？」她想要知道，「這樣眞的很惱人。」

「我同意，」我告訴她，「每次維修員來，都說修好了，但是他一走，電話就犯同樣的毛病。」

現在我遇到第四個維修員，提出一個解決方案：「妳需要買一部無線電話，」他告訴我，「妳的傳統座機消耗了太多電壓。」

我從未買過無線電話，所以對他的解決方案抱持懷疑態度——絕望的懷疑。我驅車前往大賣場，買了一款搭配三個子機的新型無線電話。一個朋友來我家幫忙安裝。

我打電話給珍妮佛。「珍妮佛，」我問，「妳現在聽得到我說話嗎？」

「聽得到！」她說，「電話的問題終於解決了嗎？」

「如果妳能聽到我的聲音，就表示解決了。」我說。

「我能聽到妳說話，」珍妮佛向我保證，「也該解決了。」

在沒有電話的情況下寫這本書，讓這段時間變得很費勁。現在我與他人的聯繫再次清晰，我深刻了解無法聽到或被聽到，是多麼大的壓力來源。撰寫有關聆聽的書，我更能體會溝通不順暢的無奈，更感謝能與他人有好的連結。「聆聽帶來多麼大的快樂，」我心想，還有，「在專注聆聽的同時會有多麼恰當的想法。」

和珍妮佛聊完後，我打了電話給朋友丹尼爾．瑞振，確認中午和他見面。

以放棄控制來聆聽

「我要和一個叫丹尼爾的帥哥見面，」當老闆娘領我到餐廳的雅座時，我告訴她，「他有一頭紅髮。」

「我會把他帶過來。」老闆娘向我保證。我坐下來，點了大杯的百香果冰茶。丹尼爾在一分鐘後抵達。他從頭到腳穿著牛仔布料，腳踏一雙東尼．拉瑪（Tony Lama）牛仔靴。他粗獷的帥氣外貌使他成為引人注目的西部人物。

「我也來一杯同樣的。」他告訴女服務員。當她端來他的茶，我們已經準備好要點菜。

「我要牛排沙拉但不要牛排，」我點了菜，「搭配地瓜薯條。」

「魚塔可配地瓜薯條。」丹尼爾點菜。

我們對彼此微笑。「這裡的地瓜薯條很好吃。」我說。

「我也這麼記得。」丹尼爾說。

「我在聖塔菲燒烤酒吧從來沒有吃過不好吃的餐點，」我告訴他，「每樣都好吃。」

「來到這裡就像回家一樣。」丹尼爾評論道。

「沒錯，」我同意，拿出一本閃閃發光的藍色筆記本和筆。「我們可以開始了嗎？」我問。我邀請丹尼爾一起吃午飯，和我聊聊聆聽。他的簡歷上寫著「丹尼爾．瑞振：演員、導演、作家、攝影師」，彷彿每五分鐘就會發展出一項新技能。身爲《創意，是心靈療癒的旅程》的長期實踐者，他每天寫晨間隨筆，並讓隨筆帶領他。他以廣播播音員和配音人開始了創作生涯，然後跟隨衝動採取行動。漫長而成功的演藝生涯使他成爲導演。在執導影片的空閒時間，他寫了短篇小說。在寫作的空檔，他成了攝影師，滿足了拍攝精采人物照的需求。每一天，他都盡可能追求多種才能。今天，知道要接受採訪，他換上了鏗鏘有力的廣播聲音。那麼，他的聆聽如何呢？

「聆聽是你能做的最重要的事情，」丹尼爾開始，「為了聆聽，你必須與他人建立連結。聆聽對建立連結至關重要。很多人只是假裝在聽，他們的等待是為了要回答，也就是嘗試控制。眞正的聆聽代表放棄控制，當故事展開時，必須臨在當下。聆聽是非常強大的工具。在任何互動中，聆聽都是你能做的最重要的事，讓你擺脫自我，並教你與周遭事物連結。」

能被仔細聆聽、被聽見，是種敬意。不必出口表示同意對方就能尊敬他。

——梅格．克雷頓（Meg Waite Clayton）

丹尼爾停下來喝了一口茶，因為專注而皺起眉頭。他問我：「到底還有沒有人在聆聽？很多時候，人們聆聽只是為了推動自己想做的事。眞正的聆聽需要你留心對方，放棄原本想說的話，眞正理解對方的想法，眞正聆聽他們的內心。」

餐點到了，我們默默吃了幾分鐘，然後丹尼爾繼續原本的話題。「聆聽創造了一個圈。你開放又脆弱，會留心對方的意圖。」

我吃了一口又一口的爽脆沙拉，丹尼爾則狼吞虎嚥地吃下三個魚塔可中的第一個。他繼續，「身爲演員，我學會聆聽，跟隨約翰．史特拉斯伯格（John Strasberg）和傑拉汀．佩姬（Geraldine Page）學習。從他們那裡，我學到聆聽有多麼重要。身爲演員，可以做的最重要的事就是聆聽場景中的其他演員。很多時候，演員不是在聆聽，而是在等待說臺詞的時候。這會讓他們脫節，因爲他們並沒有眞正在聆聽。當你眞正聆聽其他演員時，就會知道接下來該怎麼做。如果你聆聽，該說的臺詞就會自動出現。」

丹尼爾吃完第二個魚塔可，舔了舔手指，然後詳述，「聆聽是關於尊重：尊重對方說話。對他們是誰的尊重，讓你了解別人內心的想法。你可能會開始想，『我從來沒有那樣想過。』」

丹尼爾解決了第三個魚塔可，傾身向前，以便更好地傳達下一個想法。他仔細地說，「聆聽就是放棄控制，就像墜入愛河——是的，這就像墜入愛河。」

試試看

試著聆聽你的心引導你的方向。向你的心尋求指引，並記下你接收的指引。它與頭腦的理智帶領你的方向不同嗎？它指向哪裡？聆聽內心的指引，我們被引導到「正確的方向」。

讓別人說話

咖啡機在冒泡並發出嘶嘶聲，這種聲音很有魔力。我正在煮正午享用的法式烘焙咖啡。我剛剛和健身教練一起鍛鍊，她告訴我她正在聽的有聲書中的故事。說故事的是一隻狗，當被問及如果突然變成人會怎麼做時，牠回答：「我會聆聽。人類不聆聽。」

莉莉確實比我先聽到訪客的聲音。如果有人打開院子的門，莉莉就會跑到玻璃推拉門前向外張望。如果是她喜歡的人，她會興奮地尖叫。她特別喜歡我的兩個幫手：一個是我的管家凰妮塔，她養了三條狗；另一個是經驗老道的修繕工安東尼，非常珍惜他十四歲的鬥牛犬。當我爲他們開門時，莉莉會高興得跳起來。她不會衝出去，而是在附近繞圈並護送他們進來。

「妳好，女孩，妳愛我，還是愛我的狗？」凰妮塔驚呼。

「妳好，寶貝，妳愛我。」安東尼低聲說。這是眞的。莉莉用後腿站立，把前腳掌放在他的大腿上。她急切地低吠嗚咽，只有在我餵她蒔蘿醃鮭魚時才會向我表現得如此興奮。「莉莉，鮭魚，吃。」我念誦，這帶來了快樂。今天下午莉莉欣喜若狂，她心愛的安東尼來了。他在爲漏水的車庫做防風雨處理，仔細施作以免再漏。

「如果明天不下雨，我後天會帶花園用的水管把屋頂弄濕來測試。」安東尼解釋。他一絲不苟，以完美完成工作爲榮。今天他和妻子卡梅拉一起來，她是留著烏黑秀髮的美女。今天是週日，本應是他的休息日，於是她來陪他。這個高效而快樂的團隊一起工作三個半小時。咖啡煮好後，我給了他們一人一杯。卡梅拉接下咖啡，在廚房水槽前把殘存的汙垢沖洗乾淨。

她坐在我的餐廳裡欣賞水晶吊燈。「眞漂亮。」她感嘆，一邊喝著咖啡，一邊問我現在在寫什麼。

「一本關於聆聽的書。」我告訴她。

「聆聽非常重要，」她感嘆道，並詳述，「十年來，我一直在一家高級珠寶店工作，我們主要銷售鑽石。我了解到女性通常知道她們想要什麼。如果你聆聽，她們會娓娓道來。我已經學會讓她們說話。如果她們想要的是鑽石，那麼展示綠松石並沒有意義。」卡梅拉微笑。她是美麗的女人，笑起來更美。

談話的藝術在於聆聽。

——邁爾康・富比士（Malcolm Forbes）

她繼續，「我們的庫存裡很難有超過五克拉的鑽石。有位顧客左右耳各戴八克拉。我覺得這樣有點超過，妳覺得呢？」卡梅拉無聲笑了笑，優雅地啜飲著咖啡。車庫的門打開，安東尼加入我們。莉莉試圖跳到他的腿上。他把她抱起來。

「寶貝，乖，」安東尼低聲說，「妳想和大人在一起。」莉莉依偎在他的胸口。他是可愛又充滿愛心的人，她吸收了他的能量。當他撫摸莉莉的耳朵時，她高興地扭動身體。我們在友好的沉默中坐了一會兒。安東尼喝完咖啡，把杯子放在廚房水槽裡，急於重返工作崗位。

當他離開時，卡梅拉深情地說：「我們已經在一起四十年，從未度過蜜月。我不介意，但他必須休假，而他喜歡工作。現在他正在我們所有孩子的房子裡工作——這裡做一點，那裡做一點。」

顯然，安東尼爲自己的工作感到自豪，而卡梅拉則爲安東尼感到驕傲。

試試看

問朋友他們最想要什麼，然後讓他們說。你有沒有發現，自己會先預想他們想要什麼？你自認為知道他們會說什麼，並且對他們分享的內容感到驚訝嗎？聆聽朋友內心深處的需求，往往使我們能以令人驚訝的親密程度與他們建立連結。

用眼睛聆聽

電話終於修好，我可以聯繫遠方的朋友。我首先打電話到紐約，資深演員詹姆斯．戴巴斯（James Dybas）在那裡度過漫長而輝煌的職業生涯。他一開始先擔任舞者，幾十年後，身手仍舊靈活，修長而英俊，有著高顴骨，眼神活靈活現，笑容燦爛。他的聲音和外表一樣引人注目，聽起來是溫柔而低沉。

「我是詹姆斯。」他接起電話，聲音溫暖、圓潤又滋養。這不令人意外，因爲除了表演，他偶爾還會做旁白工作。他用神奇的聲音在美景（VISIONS）盲人中心朗讀——最近朗讀的是楚門．卡波提的〈聖誕回憶〉（*A Christmas Memory*）。他喜歡用聲音服務別人。當我請他和我談談聆聽時，他很謙虛。「這樣啊，」他沉思了一下後說，「我可以和妳談談身爲演員的聆聽。」於是開始。

「聆聽至爲重要，」他說，「聆聽和聽到不一樣。有時必須忽略周圍的一切，你必須歸零才能眞正聆聽，必須注意別人發送的訊息並做出適當的回應。」

詹姆斯停下來整理思緒。「身爲演員，」他繼續說，「我跟著鄔塔．哈根（Uta Hagen）和瑪麗．塔卡（Mary Tarcai）學習。她們都認眞討論過活在當下，聆聽和你在一起的人。她們說，這就像一場排球比賽。哈根寫了一本書，名爲《尊重表演》（*Respect for Acting*），書裡提到：『話語是帶著意圖主動發送的。你必須聆聽話語的意圖，才能加以接收，賦予話語意義，不僅是因爲意圖，也是來自你自己的角度和期望。』」

「換句話說，聆聽是一門主動的藝術？」

「是的，一點也沒錯。在現實生活中，我們很幸運能接受到別人說的四分之三。當我們詮釋對方的肢體語言時，我們用耳朵和眼睛聆聽。當我們與親密的朋友在一起，會以肢體動作回應聽到的內容，例如聳肩，或者靠得更近。身體上的聆聽會影響我們。」

詹姆斯舉例：「我去看了一齣名爲《洋麻將》（*The Gin Game*）的戲劇，由休姆．克羅寧（Hume Cronyn）和潔西卡．坦迪（Jessica Tandy）主演。在某一刻，坦迪說了讓克羅寧尷尬的話，他的臉脹得通紅——這就表示他有多麼認眞聆聽。」

這段記憶讓他有了另一個想法，一個警示語：「聆聽至爲重要，這是最重要的。我們可能會誤讀電子郵件——這很棘手。當我們說和聽時，會從對方的肢體動作或語氣中獲取線索。若是把這個想法寫下來，就會變得不一樣，很容易讓人誤解。無論說或聽，都能從正在聆聽的對象那裡感受到氛圍——可以判斷對方是否在聽我說話。如果他們在聽，會斷斷續續地眨眼睛；如果沒在聽，他們會盯著我看。在談話中，語氣很重要。聽起來很吸引人，或者像發出無意義的音節。有時我不想聽。」

言語是銀，沉默是金。

——土耳其諺語

但是，詹姆斯每天都會執行一種聆聽方式，無論是否願意。他解釋：「祈禱和靜心開始了我的一天。我祈禱，然後安靜坐著，聆聽心靈深處的呼聲。感覺就像在電話裡交談——與上帝交談。我相信沒有靜心的祈禱就像在上帝說話之前就掛上帝電話。我聽了二十分鐘的寂靜，聽到心靈深處的呼聲。有時沒有那麼微小。這開始了我的一天，感覺臨在並準備好去外面的世界。城市的喧囂可能會讓人無法抗拒——安靜的時間很必要。」

試試看

與一位親密的朋友交談，使用詹姆斯的眨眼技巧來判斷朋友在你說話時是否全神貫注。注意朋友的肢體語言，了解對他來說什麼才重要。注意自己的肢體語言，以判斷自己是否完全投入。請牢記詹姆斯說的「我們用眼睛聆聽」。

聆聽讓你成爲更好的健談者

我和傑洛德．哈克特當了五十二年的朋友。我們在十八歲剛進大學時相識，當時很投契，也一直保持聯繫。傑洛德高大瘦削，留著小鬍子，棕色的眼睛閃閃發光。他是堅定的樂觀主義者，很容易笑。相識五十多年的時光中，我們進行了許多眞誠而有意義的對話。我發現傑洛德既是活潑的健談者，也是很好的聆聽者，隨時準備交換意見。我請他和我談談聆聽的重要性，這是我們維持友誼的關鍵因素。他樂意效勞。

「如果你想進行有意義的對話，聆聽非常重要，」他開始說，「這是進行優質對話的重要元素——想要雙方都滿意彼此的對話，這至關重要。」

大多數人聆聽不是爲了理解，而是想要回答。

——史蒂芬・柯維

傑洛德停頓了一下，然後若有所思地繼續說。「一場好的對話對雙方都是學習。如果每個人都有機會說話和聆聽，這樣的機會就是催化劑，讓彼此能在對話中有所學習。每個人都對自己說：『這些事我從來沒想過。』聆聽會帶來洞察。如果一方一直在說話，就不會有所洞察。」

傑洛德又停頓了一下，不一會兒繼續說，變得懷舊起來。「我從小就被教養得善於交談，大人會建議我多和別人對話，包括積極聆聽和主動發言。孩子們邊看邊聽，這就是我在餐桌上的談話看到的模範。」

回到現在，傑洛德繼續，「如果有人只說而不聽，我的思緒就會變成自動導航。如果沒有兩個積極的聽衆和兩個活躍的演講者，就不可能進行有意義的對話。當我發現自己只是在接收某個獨白時，會盡快讓自己從談話中抽離出來。」

傑洛德停頓了一下，繼續說，「如果對話裡沒有好的聆聽，變成獨白，我會感到沮喪。如果我看到某種模式，就不會想要進一步對話。

「聆聽讓你成爲更好的健談者，」傑洛德繼續說，「我期待與善於聆聽和善於表達的人交談。那樣的對話我會記得。那樣的對話是交談，而不是獨白。每一方都做出貢獻，也歡迎對方表達意見。這是尊重的問題，去聆聽正在交談的人。身而爲人，我們互相尊重，不留空間給對方很不禮貌。」

傑洛德總結看法，「你可以說我相信金科玉律：在對話中也要遵守『己所不欲，勿施於人』。從好的談話中會學到新的東西。如果說得太多而不聽，就會失去學習的機會。不能成爲好的聆聽者，就會錯過很多。」

試試看

我們透過聆聽學習。花時間有覺察地聆聽朋友說話，不要打斷。讓朋友有尊嚴地聽到有血有肉的完整想法。讓自己獲得驚喜，買一張明信片並寫上：「謝謝你給我一次精采的對話。」把卡片寄給朋友。

熱情來自專注聆聽

客廳的窗外，松樹靜止不動，像版畫一樣深印著天空。暮色降臨，被染黑的樹枝像墨一般。站在樹下的莉莉全身雪白，在漸暗的天空下特別顯眼。風停了下來，她冒險出發。松樹不再讓人感到威脅，鳴鳥躲藏於枝椏。一日的歡唱已經結束，將在黎明時重新開始。

在撰寫這本關於聆聽的書時，我發現自己能夠留心環境中微妙的聲音。鳴鳥的聲音很大，風聲更大。今晚，屋子裡很安靜，只有廚房的時鐘滴答作響。

怎麼回事？莉莉開始吠叫，持續的叫聲刺耳又尖銳。我擔心她會惹惱鄰居，敲著窗戶說，「莉莉！鮭魚！吃！」她無視我的哄誘，我只好放棄。我屈服於這場嘈雜。很顯然，現在必須屈服。莉莉停止吠叫，進來接受該有的款待。我剝了一片蒔蘿醃鮭魚給她，然後關上狗門。沮喪的莉莉坐在雙人沙發的靠背上，發出一連串的低吠。她更想回到外面大聲吠叫，但我告訴她，「安靜，莉莉。」她安靜了。除了廚房裡滴答作響的時鐘，屋子裡再次恢復寧靜。

如果可以與以同情和理解回應的人分享故事，就絕不會感到羞恥。

——布芮妮・布朗（Brené Brown）

剛結束巡迴教學的我，覺得一個人待在家裡很孤單，於是打電話給朋友蘿拉，請她用長途電話陪伴我。她住在芝加哥，我曾經待過那座城市。

「嗨！」蘿拉的聲音帶著歡迎的輕快。「妳好嗎？」她想知道，「妳回家了嗎？」知道說謊毫無意義，我回答：「我回家了，但感覺普普通通。」

「只有普通？」蘿拉問道，「要做些什麼才會感覺好一點？」

「和妳說話會有幫助，」我回答，「和妳說話總是有幫助。」

這是眞的。蘿拉總是熱情洋溢，透過電話，她的聲音聽起來很溫柔——就像本人一樣討人喜歡。她是一位高大、敏捷的金髮女郎，總是很親切。她感謝我對她的評論。

「妳怎麼這麼說，眞是謝謝。」蘿拉的聲音帶著微笑。

「我想這是因爲妳會聆聽——眞正聆聽。」我告訴她。

「我們的友誼長達四分之一個世紀，」蘿拉回答，「當妳和別人做了很長時間的朋友之後，會聽得懂言下之意，可以從語氣和情緒之中聽到細微差別，知道對方眞正的感受。我聽得出言下之意，這就是妳說的『眞正聆聽』的意思。」

「妳的話安慰了我，也許是因爲妳多年來的教學經驗。」

「三十五年，」蘿拉回答，「聆聽非常重要，因爲這是了解學生情況的最佳方式。聆聽讓我知道他們的狀態。我會留心他們的語氣：有精神、疲累，或是感到煩惱？家裡是否發生巨大變化，或許有了新成員？只要聆聽，我會聽到細節。」蘿拉停頓一下，輕輕嘆了口氣。她懷念教書的日子。她繼續說道：「聆聽他們的問題非常重要。我會先規劃好課程的走向，但他們的問題會帶我到不同的岔路。他們的好奇心雖然把我們帶離主要課程，但他們特別感興趣。我會聽從他們的暗示和線索——話語、語氣、臉部表情。我全神貫注聽著，覺得忽略就算作弊，所以我全心全意聆聽。」

「眞是令人欽佩。」

蘿拉深深嘆了口氣，然後回應，「或許吧。如果有衝突，我會聆聽來了解問題的核心。聽著他們的故事，我一點一滴認識了他們——並且因爲深入了解，我越來越愛他們。我會覺得不認眞聆聽是錯的。他們讓我全心投入。」

「這就是妳聆聽我說話時，我會有的感受。」我驚呼道。

「嗯，」蘿拉謙虛地說，「我可能有進步，但我從來不是健談的人。我比較像是觀察者或聆聽者。是的，我一直是聆聽者。但是聆聽需要耐心，先專注在別人身上，然後讓自己加以回應，這有時需要很大的耐心。一個人的故事可能又長又複雜，而且充滿細節。我教過資優的幼兒園學生，也教過有學習障礙的十三歲孩子。我一直在學習，透過聆聽來了解學生。每個學生都是獨一無二的，不管在興趣上或是對什麼有熱情。」

「聽你談論工作，我很興奮。妳對工作很有熱情。」我告訴她。

「產生熱情很容易，」蘿拉說，「只需要專注。專注是聆聽的關鍵。」

試試看

仔細聽朋友說。找出他們的熱情，並讚美他們。

聆聽是愛的舉動

半月在夜空中閃耀，照亮了聖塔菲的山脈，也照亮了北卡羅萊納州阿什維爾附近的山脈。我在聖塔菲，我的詩人朋友詹姆斯．內夫（James Navé）在阿什維爾。他在電話鈴聲響起第一聲時接聽，聲音溫暖而熱情，帶著一絲南方習慣的拖長音調。

他剃了光頭，肌肉發達，非常喜歡健行，而耐力為他的談話提供了燃料。

「我是內夫。」

「我打電話是想和你談談聆聽，」我告訴他，「我在寫書。」

「關於這一點有很多可說，」內夫表示同意，「我會說聆聽排在清單第一名，是需要培養的最重要技能。」

「繼續說下去，」我敦促他。

「當一個人聆聽他人時，」他繼續說，「會產生同理心，好奇心等級上升。同理心和好奇心混合在一起，就會產生一定程度的尊重。當你深入聆聽某人，你將與對方的靈魂相遇。文字就像麵包屑，將我們帶入森林，找到眞實的自我。」

> 聆聽是一種內心的態度，眞心渴望與另一個人在一起，這樣的渴望既吸引人又療癒。
>
> ——J.伊沙姆（J. Isham）

內夫停下來，聆聽我們之間的沉默。片刻之後，他繼續說，「人們渴望受到關注，渴望受到關心，渴望受到認可。而聆聽——眞正的聆聽——做到了這一切。當你關心時，人們會感覺到你渴望聆聽，會感覺像回到家。家給人感覺包容一切，家就是你得到聆聽的地方。」

他又停頓了一下。「聆聽是一種愛的舉動，給出時間是深切的關懷。給出時間意味著暫停，讓沉默擁抱浮現的想法。」內夫停頓了一下，然後繼續說，「聆聽的核心是包容、同理心、仁慈和耐心。聆聽向周圍的人傳達出尊重的訊息，但是聆聽自己也同樣重要。追根究柢，聆聽是墜入愛河的行爲，對象是自己，也是我們正在聆聽的人。」內夫再次停頓，「我在聆聽這件事上有很多想法。我有一個脫口秀廣播節目，迄今爲止已經做了一百三十次採訪。我的廣播節目以忽必烈汗的詩來命名，叫作「雙倍的五英里」（*Twice 5 Miles*），副標是「值得擁有的對話沃土」。

「你剛剛說的話是最好的示範。」我告訴內夫。

試試看

與朋友一對一交談，特別留意他們的熱情。當你發現時，多問一些問題將其引出。

聆聽的日常

一個晴朗而寒冷的冬日，莉莉很想出去散步，所以我換上厚冬衣，在她的項圈繫上牽繩。我們向北走進一條上坡的泥土路，這條路距離一兩百公尺的盡頭處，接著一條鋪設道路。往上走時，聽到一隻烏鴉一路陪著我們，在電線桿和樹梢上跳動，停下來時發出叫聲。

烏鴉的叫聲彷彿在說「快一點」，而莉莉也願意配合。她拉著牽繩，催促我跟上那隻喧鬧的鳥。我固執地放慢了速度，幾乎止步不前。這隻鳥撲向空中，折回，來到我們頭頂，停在電線桿上發出叫聲。莉莉很惱火：她只聽其聲，卻不見鳥兒。牠的叫聲似乎在嘲笑她。她停住不動，繃住腿凝視。

「莉莉，沒關係。」我告訴她，但她並不相信，發出了暴躁的低吠。鳥以叫聲作爲回應，也讓莉莉重新啓動。她一躍而起，好像自己也能飛。

「莉莉，沒關係。」我又說了一次，但這隻鳥喜歡逗狗，叫聲更響。莉莉叫了起來，彷彿在說：「下來，我要把你吃掉。」或許烏鴉終於感到威脅，於是騰空而起，這一次我們沒有聽見牠飛起來。我走回家，欣賞著山中烏鴉施展的簡單魔法和莉莉面對大自然的專注與激動，感到興奮，而這樣的事物很容易就錯過。我決定聯繫一個朋友，單純聆聽對方說話，不訂主題，也不做採訪，只對他人的日常生活表達興趣。

回到家裡，我打電話給珍妮佛．貝西。她今天參與多場試鏡，我想知道情況如何。珍妮佛雖然已經七十九歲，表現出來的活力卻年輕許多。還沒想要退休的她持續規律工作，演出還贏得艾美獎。她總是很想知道我的工作進展。工作對她而言是生命中最重要的事。

「親愛的，妳好，」她打招呼，「進行得如何？」她的意思是，我今天有沒有寫作。

我告訴她，「還可以，我寫了一點。」她想知道我是否使用了二十分鐘技巧——將計時器設爲二十分鐘，承諾自己只要寫這些時間就好。這麼做總是讓人更容易開始——「只要」二十分鐘——而且一旦開始，我經常會想繼續。

「有！」我告訴她，「這招有用。」她問候莉莉。珍妮佛很喜歡動物。接下來，她問候我的女兒，然後是孫女。我告訴她每個人都很好，最後終於提出關於試鏡的問題。

「我想我做得很好，」她興高采烈地報告，「我的經紀人很喜歡我的表演，所以現在我們對結果拭目以待。」身爲資深女演員的珍妮佛安頓身心後等待。她知道，表現得好並不能保證被選上。「他們想找看起來更老的人，」她經常這麼告訴我。她的身分證年齡近八十歲，但上鏡時看起來只有六十出頭。她在很多方面看起來都太過年輕，一點也不像老奶奶。我等待珍妮佛闡述她如何「做得很好」，但她處於聆聽模式，不想說話。

談話的藝術是聆聽的藝術，也是被聆聽的藝術。

——威廉．赫茲利特（William Hazlitt）

「妳的劇進行得怎麼樣？」她問，「妳準備好一月份的劇本朗讀了嗎？」

「還沒有，」我告訴她，「我還得寫兩個新場景。一個在第一幕一開始，另一個在第二幕一開始。我們需要寫進時光流逝。」

「但是我覺得妳已經寫了這部分，」珍妮佛說。

她對我的信心與導演尼克．德莫斯（Nick Demos）的指令相悖。

「呃，好吧。」她嘆了口氣，對於會發生變化無可奈何。

「妳先生還好嗎？」我問起他的感冒。

「我煮了雞湯給他喝，」珍妮佛回答，「他已經好多了。」

珍妮佛是技藝高超的廚師，我幾乎可以透過這麼遠的距離感受到豐盛的湯。

「我得把食譜給妳。」她告訴我。過去，我舉辦過很多成功的晚宴，主菜來自珍妮佛的芥末蒔蘿烤鮭魚食譜。為了能喝喝看她的食療湯，要我感冒都值得。

「我得掛電話了，」珍妮佛說，「喬治還要再喝一點湯。我的鄰居過來外帶了幾碗，他們很喜歡。妳也會喜歡的。」我毫不懷疑。為她回報當天的行程而歡呼，我說了再見。

試試看

有時我們最不懂得仔細聆聽親密好友，因為自以為非常了解他們，覺得知道他們要說什麼，而總是打斷朋友，幫他們把話說完，但並不總是準確。我們其實不知道他們未能說出的想法。只要練習親密聆聽，就會發現這一點。我們經常驚訝於對方所說、所感和所想。選擇一位關係親密的人，聽對方說話。保持耐心，聽他們把話說完。他們說的某些話嚇到你了嗎？記得寫下：「我沒發現這一點。」

當聆聽告訴我們不要這麼做

「但是，茱莉亞，我不想要不管對方是誰都去聆聽！要走上聆聽之路，我是否必須聆聽所有人——即使是那些不值得去聆聽的人？」

我在第一次描述聆聽之路時，經常遇到阻力——我將其定義爲誤解。聽到我說「只要聆聽，絕不挑剔」的人可能會誤解。但是聆聽之路讓我們更加挑剔。正是透過留心——眞正的聆聽——我們才能清楚知道自己不僅不該忽略什麼，也應該完全避開什麼。聆聽之路也是關於聆聽自己——並相信我們對實際上不應該聆聽的人產生的直覺。

莉莉正在吃飼料，吃得嘎吱作響。她的狗牌敲著碗的側面，發出刺耳的聲音。在她頭頂，廚房的時鐘滴答作響。當她暫停時，聲響似乎更大。今天的天色灰暗。一陣小型暴風雨剛過去，但現在天空烏雲密布，並未下雨。滴答作響的時鐘標記著時間，接著我開車出去獨自吃晚餐——在前一天晚上結束令人痛苦的聚餐之後，我刻意這麼做。

陽光穿過雲層。日落景色很壯觀，映照出粉紅色、紫色和橙色的光芒。我來到「愛自己」咖啡館，晚餐菜色是煎鍋蔬菜，有羽衣甘藍、蘑菇、南瓜、櫛瓜、洋蔥、地瓜，上面鋪滿起司和青辣椒，可說是素食者的天堂。我不禁想起昨晚吃飯時朋友的評論。也許善意，但很擾人。我有請他們發表意見嗎？

「我不認爲吃一條小鮭魚有什麼大不了的。」

「只吃藍莓和覆盆子——不吃其他水果。」

「吃低脂優格，而不是燕麥片。」

這些評論不請自來，且不受歡迎。最近，我感覺受到打擊。我一直聽著幾個人獨白，發現對方開始滔滔不絕時，我就無法聆聽。我根本不是在練習聆聽之路，而是心不在焉。我的胃打結，胸口緊縮。我想說，「有人問你嗎？」

沒有什麼比不請自來的建議更快扼殺對話。傲慢躲藏在不請自來的指導中，傳達的訊息是「我比你更知道如何過你的生活」。難怪我們對其反感。聆聽之路建立在禮貌而非傲慢上。不請自來的建議讓聆聽者關閉心門，這是一種霸凌。

「我只是想幫忙」是最常見的辯解，但是「幫忙」送出的訊息不是眞正的幫忙，而是在表達——儘管沒有說得那麼清楚——「你沒有能力解決這個問題」。換句話說，這麼做傷害而非支持聆聽的人，造成自我懷疑，而不是自信。它會引發怨恨，然後變成憤怒。

「但我是好意」是另一種辯護，帶著好意的朋友往往視而不見他們的建議帶有傲慢。舉例來說，他們剛剪了好看的髮型，也可能會強烈要求一個喜歡留長髮的人剪個新髮型。看起來似乎很無辜，但事實上如何？難道眞的不是「不聽我的就拉倒」的另一種說法嗎？分享「我剛剪了個好看髮型」是一回事，而「你應該剪個好看髮型」是另一回事。分享個人經驗與「好心建議你」在語氣上有所不同。

我們都有不同的需求，在滿足這些需求時也有不同策略。我一個人在家工作，晚上會出去吃飯。我正在滿足對美食的需求和對人類陪伴的需求。給我建議的朋友說：「妳應該在家吃飯；這樣可以省很多錢。」這樣的建議出於善意，但不準確。她結婚了，在家做的飯有人分享。

你無法在眞正聆聽別人的同時做其他事。

——史考特・派克（M. Scott Peck）

「妳知道妳需要做什麼，」許多毫無根據的建議開始了。可以簡單地說，「是的，我知道我需要做什麼。」

可能要告訴那些堅持提供不請自來建議的朋友，「當你試圖指正我時，你在暗示我有問題。」

「不，」他們可能會抗議，「我根本沒有那樣暗示。」通常，他們對你提出的觀點會感到震驚。畢竟，正如他們經常說的那樣，他們「只是想幫忙」。

雖然他們很少意識到這一點，但他們的幫忙確實是滿足自我的提議。誰不喜歡感覺自己比別人聰明一點，比別人更能幹一點？還有什麼比幫忙更謙虛呢？

聆聽之路要求我們聆聽他人的聲音，而非試圖修復、指正他們，並且當有人以高高在上的語氣對我們說話時，我們要懂得爲自己說話。

試試看

列出那些你覺得真正聆聽你、看到你最大和最真實潛力的朋友。這些朋友為你注入樂觀和可能性，而和他們的交流讓你感到充滿希望和輕鬆。

現在列出那些和你感覺相反的朋友。他們會主動給你建議嗎？當你說話時，是否覺得他們沒有在聽？你聽他們說話時，是否有壓迫感？是否覺得自己在抵抗他們為了自我保護而說的話？在這些朋友中，你有想和誰談談你們的互動？在其他朋友中，你會感覺盡量避免交流比較明智嗎？想到什麼就寫下來。完成後，獨自走一小段路，對於冒出來的新想法保持開放的態度。在每個例子中，哪個感覺像是正確的行為（或非行為）？你可以邀請最好的聽眾去分享你的想法和擔憂，並向那些真正會聆聽你，而不會試圖「修復」「指正」或給予你不恰當建議的人，尋求建議。

不忘聽取自己的建議

一個下雪的寒冷冬日。山頭雪白，銀色的雲層籠罩著山頂。我的房子位在山勢較低的地方，正下著雪和凍雨。當雪和凍雨敲打窗戶時，會發出規律的滴答聲，這聲音使我保持警覺。我稍晚必須開車出門，而這樣的天氣讓我擔心路況，因爲我必須在險惡的道路上向南行駛半小時。我將拜訪亞諾．瓊斯（Arnold Jones）博士和他的妻子達絲蒂，我們是三十年的朋友。

滴答聲停止。一縷陽光照亮了山。雪和凍雨停止。我聽到卡車在門外的泥土路上隆隆駛過。莉莉「砰」一聲打開了狗門，到外面探險。電話發出刺耳的響聲。我的朋友泰勒打電話來問候我。

「妳今天過得怎麼樣？」她想知道。

「直到幾分鐘前，我還在擔心天氣——剛剛正在下雪和凍雨，視線一片模糊。」

「現在好多了？」

「是的，好很多。我希望天氣保持清朗。我要開車去亞諾和達絲蒂家。」

「即使天氣好，妳也討厭開那段路，」泰勒驚呼道。她的記憶力很敏銳，還記得我上次開車後抱怨了險惡的道路，現在她滿腦子都是忠告。「如果天氣變壞，就待在家裡。」

「我會的。」我說，但其實我不會。我已經很久沒有見到達絲蒂和亞諾，他們住在南方，遠離山，遠離雪。整個冬天，當我問候他們時，他們告訴我「很少下雪」，而我的房子正被雪覆蓋。我今天決心要開車出門，無論旅程多麼困難。

「安全第一，」泰勒繼續建議，「其實我認爲妳應該待在家裡，今晚別出門。」我知道泰勒幾乎在所有情況下都有建議，也了解自己大多不喜歡。即使她的建議「正確」，傳達的方式也會讓我心裡不舒服。

「我最近寫作不太順利。」我告訴她，改變了話題。

「照妳平常建議的做，」她建議道，「先開始再說。」

「對，那麼做行得通。」我同意。即使她用我的教學方式來教育我，我也不開心。

「當然行得通，」泰勒厲聲說，「如果天氣又變糟，妳有食物嗎？」

「有一些。」

「有一些？那是什麼意思？」

「夠我吃。」

「夠妳吃？那是什麼意思？妳應該把冰箱塞滿。」

「我有蔬菜和冷凍水果。」我補充說明，在違背自己的意願下，被捲入了談話。

「妳需要蛋白質。妳有蒔蘿醃鮭魚嗎？」

「有，但那是給莉莉吃的。」

「她會分享的。」

「我吃素，記得嗎？」

「我當然記得，我不認爲吃一條小鮭魚有什麼大不了的。」

「嗯。」我知道最好不要與泰勒爭論。我們在天氣轉晴的時候掛斷電話，泰勒很滿意我會接受她的建議，但其實我知道不會。

「莉莉，鮭魚！要吃嗎？」我提議，她蹦蹦跳跳跑到冰箱前。我不要她分享。我開始寫作。泰勒可能是好意，但她想要說服我的建議讓我感覺受到強迫，而非鼓舞。我寫作，心想我認爲應該做的事情——而不是泰勒的想法。很快的，我的腦子變得清晰。我知道自己需要做什麼。

我開車下山，雪越來越小，蜿蜒的道路通往亞諾和達絲蒂家。正如我想的那樣，路上沒有積雪。能見度很好，轉彎時相對輕鬆許多。我把車開進他們家的車道時，聽到他們那兩條狗的歡迎叫聲。亞諾打開門。「真開心見到妳。」他說。

「很高興被你見到。」我回答，感謝自己採納了自己的建議。

試試看

拿出筆手寫。舉出生活中的一種情況，儘管朋友堅決催促，你仍舊知道自己該怎麼做——而且需要聽取自己的建議，而不是朋友的。你害怕接受自己的建議，害怕拒絕朋友嗎？記住，當我們做對自己好的事時，也在做對他人好的事——無論目前看起來是否如此。讓自己有勇氣和尊嚴去做你認為合適的事情。

做完之後確認一下，聽了自己的建議，感覺如何？你是否有解脫、充滿力量、樂觀的感覺？

本週回顧

你有沒有繼續進行晨間隨筆、藝術之約和全心漫步？
當你有意識地聆聽周圍的人們時，有什麼發現？
你是否發現自己和你互動的人之間，有更緊密的連結？
有沒有發現你必須有意識地停止聆聽的人？
說出一次難忘的聆聽體驗。對你來說，帶來了什麼領悟？

第3週 聆聽高我

我試圖在森林和波浪的喃喃低語中，
發現其他人聽不到的話語，
我豎起耳朵聆聽他們的和聲帶來的啓示。

——福樓拜

我們有意識地聆聽環境，並且有意識地聆聽周圍人的聲音。本週我們將添加另一個層次的聆聽：聆聽高我。

我們都有過這樣的經驗：知道某樣東西適合我們，或者不適合。本週的主題將幫助我們學會找到自己更好、更有所知覺的部分，並在需要做出大小決定時，都能運用這樣的能力。

心靈深處的呼聲

聆聽之路的下一步涉及聆聽自己的更高指導。拿起筆來，問宇宙：「關於X，我該怎麼做？」我們提出問題，然後聆聽回應。當我教書時，我稱這個工具爲歐比王．肯諾比（Obi-Wan Kenobi）（譯注：《星際大戰》系列電影要角，爲主角天行者路克的導師）。我們正在邀請更年長和更聰明的自己來指導我們，而收到的指導可能會讓人驚訝，因爲往往比我們通常的思維更簡單、更直接。

> 仔細聆聽。對我們最深層次問題的答案，經常有如低語。
>
> ——韋恩．傑洛德．特羅曼（Wayne Gerard Trotman）

許多人習慣尋求他人的指導，卻極少徵詢自己的建議，因爲相信別人更客觀。由於並未意識到自己的明智，所以很難相信來自內在的指引。尋求和聆聽自己的最高智慧需要練習。

禱告幫助我們確定自己的道路。「請保護並指引我，」我們可能會這樣說，並聆聽來到身邊的指引。「請讓我們知道你對我們的意志，並給予我們加以執行的力量。」我們進一步祈禱，相信指引會將我們的意願與創造者的意願結合。正如神學家歐內斯特．霍姆斯（Ernest Holmes）保證的，我們是神的一部分，而神也是我們的一部分。當我們尋求自己的忠告，也在尋求神的忠告。我們的內在資源是每個人內心的神聖火花。

要求指引時，就會受到指引。所有祈禱都會得到回應，儘管答案可能幽微，需要抱持警覺去注意。心靈深處的呼聲能夠傳到每個人的身邊，雖然有時平靜微小，但有時會更明顯。只要練習聆聽，就會越來越能夠聽到。當我們尋求指引時，便得到了指引。

我稱自己爲小茱，提出問題。我問：

小茱：關於______，我該怎麼做？

提出問題後，我聆聽。我的經驗是宇宙會回應，而我記下它的指引。當我使用這個工具時，感到非常平靜。我猶記第一次嘗試時，獲得了強大而持久的洞察力。情況是這樣的：

小茱：我該怎麼做，才能不再因爲仍舊愛著我的第一任丈夫而困擾？
答案：只要愛他就好。
小茱：這聽起來很簡單。這樣就好？
答案：愛很簡單。
小茱：我覺得自己很傻，這麼多年了還愛著他。
答案：愛是永恆，不是愚蠢。要試著接受。

在簡單的雋語「只要愛他就好」和「試著接受」的指引下，我感到自己的心對高我的智慧做出了回應。我不再抗拒自己的感情，而是接受。我確實愛過，並且繼續愛下去。於是內心的戰鬥結束，比我想像快得多。我經歷過痛苦和掙扎，試圖理解自己的情緒，但是當我問高我這個問題時，才發現某個部分的我已經知道答案。

買新房子的時候，我不懂聆聽我的相信鏡，也聆聽高我。

「那房子呢？」我問。答案是：「房子是妳的。」

我又問：

小茱：但我買得起嗎？

「房子是妳的。」我又聽到了。我與另一面相信鏡會計師貝爾庫進行了仔細確認。

他像宇宙一樣回答：「妳買得起。房子是妳的。」因此，在內外的指引下，我買了房子。歐比王同意了。

讓自己被眞正喜歡的事物默默吸引，它不會讓你誤入歧途。

——魯米

有些人會想到作家筆下的善良女巫葛琳達（Glinda the Good Witch）。性別不是重點；關鍵是智慧。我們很明智，有時很難相信這一點，但是執行晨間隨筆、藝術之約和全心漫步，會對自己的智慧有更實在的認識。聆聽相信鏡和自己，讓我們準備好聆聽「內在長者」的聲音，相信提出要求時，一個知曉的聲音會對我們說話。

如果晨間隨筆列出了當天的行程，那麼晚上的確認就會說出當天表現如何。可以簡單寫下：

小茉：我做得如何？

很多時候，聽到的指引平靜又令人放心。「你做得很好。不要懷疑自己。你走在正軌上。」聆聽之路要求我們注意讚美和錯誤，努力建立正面且準確的自我意識。若開始相信自己的指引，會感到平靜的中心，那裡曾經只有焦慮。相信我們受到指引並不虛榮。之所以受到指引，是因爲願意被指引。因爲聆聽並服從聽到的，培養了相信自己的習慣。

許多時候，我們受到指引，採取看似溫和的行動；其他時候，我們被指引不採取任何行動。我有一組可用來當作抽查清單的問題。問題很簡單，但提供的答案往往很深奧。面對任何令人不安的情況，都可以問問自己：

1. 我需要知道什麼？
2. 我需要接受什麼？
3. 我需要嘗試什麼？
4. 我需要悲傷什麼？
5. 我需要慶祝什麼？

這些問題的答案讓我們對「我是誰」和「我是什麼」有了理智的了解，具有客觀性，毫不矯飾。這些答案的語氣眞實，甚至平淡。我用以反覆檢查自己，詢問寫這本書的情況。答案令人感到鼓舞。

1. 我需要知道什麼？答：妳做得很好。

2. 我需要接受什麼？答：妳有智慧可以分享。
3. 我需要嘗試什麼？答：試著寫下妳的第一個想法。
4. 我需要悲傷什麼？答：把時間浪費在懷疑自己上。
5. 我需要慶祝什麼？答：妳已經完成了六章。

每當你不遵循內在的指引，都會感到損失能量，喪失力量，以及精神上的悲傷。

——夏克蒂・高文（Shakti Gawain）

顯然，我被指引去相信自己。我被告知，我比自己擔心的更聰明。進一步的建議是不要浪費時間懷疑自己，並慶祝迄今爲止完成的事情。換句話說，我得到的建議是，把我的寫作生活想像成半滿而非半空的杯子。要相信自己。

「但是，茱莉亞，妳怎麼知道這不僅出自妳的想像？」有人問我。

「現在該是擁有信心的時候，」我回答，「如果這眞的只是我的想像，那麼語氣會比平時要正面積極許多。試著接受它的建議，看看是否不會引導你前進。」

換句話說，選擇信心而非恐懼，對許多人來說很新奇。我們習慣聆聽所謂的內心批評者，總是準備好接受負面評價。我的內心批評者叫作奈傑爾，我和他一起生活了五十多年。我把他想像成一個英國同性戀室內設計師，有著不可思議的高標準。奈傑爾認為我寫的任何文章都不夠好，總是提出該死的批評。多年來，我學著不理會奈傑爾。每當完成原創或大膽的作品時，我都習慣了他大聲喧嘩。

所有人都有自己的奈傑爾，這位批評者迫使我們停下腳步，因為恐懼而動彈不得。

> 鼓起勇氣跟隨內心和直覺，他們不知何故已經知道你真正想成為什麼。其他一切都是次要。
>
> ——賈伯斯

幫你的批評者命名，讓它變得像卡通人物一般，大幅削弱其力量。這麼做讓你記住，處於最佳狀態時，你的奈傑爾會最沒有作用。假設你原本有個句子提到斑馬，你的奈傑爾會說，「條紋眞荒謬。誰聽過條紋？」而不是讚賞地說，「哇！條紋！眞是迷人！」如果你聽奈傑爾的話，會拿掉條紋這個詞；如果你不理會，就會出現一整群帶著歡快條紋的斑馬。試著相信自己。「只是你的想像」的斑馬值得留下來，也很神奇。拿起筆，你可以聽到正面的聲音，但是，聆聽之路仍然需要信心。信心引領我們前進，增強了搖搖欲墜的自信。如果你聽到的肯定「只是你的想像」，就給它更大的力量。

看看周圍的世界。以樹木爲例，有強壯的橡樹，柔軟的柳樹，神奇的藍雲杉……顯然，偉大的造物主有絕妙的想像力。有楓樹、櫻桃樹、松樹，各種形狀和大小。想一下變成橡樹的小橡實，創造者的想像力可比孩子的頑皮。懷抱感恩爲高聳的紅杉祈禱，你的敬畏向創造者的發明致敬。只需要一點點優雅，讓自己的創造力展翅高飛。你的想像力顯然是通往神聖的門戶，保持警覺，就能與創造者的創造力相遇。

我的花園裡有仙人掌和百合。西北角種著三棵樺樹。南邊一棵日本楓樹下是薰衣草叢。一排玫瑰在最東邊盛開，百合花則藏在玫瑰花叢下方。我坐在藤椅上，驚嘆花園的多樣性。「謝謝你。」我吐了一口氣，感謝環繞在我身邊的美麗。鳴鳥唱歌回應我。莉莉穿過庭院，跳起來探索花園。一堵高大的土坯牆隔開了我與鄰居的土地。莉莉走到牆邊，發出低吠聲。在牆的另一邊，歐提斯回應了她。我聽到他們的談話在低吠聲和叫聲中展開。

「莉莉，」我喊道，「該進去了。」我以食物誘惑她。「莉莉，鮭魚？」她跑到我身邊，高興地跳起來。「鮭魚。」我低聲說，然後打開門，哄她去廚房。我打開冰箱取出一包蒔蘿醃鮭魚，她在我腳下打轉。

「親愛的，坐下。」我告訴她，接著剝下一片鮭魚拿給坐立不安的她。她狼吞虎嚥，感激地舔了舔我的手指。我倒了一盤冷水讓她喝，她急切地舔著水喝。「好了，小甜豆。」我告訴她。我關上通往院子的門。莉莉回到洗衣房，坐在一張東方小地毯上。我回到可以看到遠處群山的客廳，如今，群山籠罩在雲霧中。「謝謝你，謝謝你。」我大聲對偉大的造物主說。即將下雨也沒關係。當我聽到「小傢伙，不客氣」的回覆，只是我的想像嗎？如果是，我向它致敬。我練習相信我聽到的。

相信你的內在指引，會向你揭示你需要知道的一切。

——露易絲・賀（Louise L. Hay）

最近，我和一位年長的朋友有過令人不安的談話。我們相識已經三十九年，她告訴我，「我認爲相信神會聽我們說話是狂妄自大，畢竟，恐龍約有數百萬年的歷史，而神爲什麼要聽微不足道的兩足動物說話？」

她的懷疑論讓我大吃一驚。多年來，我一直認爲是她帶領著我的信仰。現在她告訴我，她並不像我一直認爲的那樣虔誠。

這場對話帶給我不愉快的沮喪感。我不得不問自己，除了她的不相信，我還相信什麼。我想出了兩個簡短的陳述：我需要用來療癒的話語是什麼？只要知道這一點：神眞實存在。我祈禱的答案呢？知道我在那裡且會聆聽我的神。

換句話說，透過簡單的詢問，我在最深層面中得到了提醒，我相信一位密切關注我在人間所有事務的神。當我詢問時，神會回答我。所以我以小茱提問，然後聆聽答案。我「聽到」的話感覺比平常的想法更有智慧、更令人安心。我相信這些話語來自更高的領域，那就是聆聽我的神。

爲了尋求自己的最高智慧，必須相信聽到的。尋求指引時，就會得到指引，但必須相信出現的指引。「關於X，我該怎麼做？」我們詢問。得到的答案可能比我們的理智會提出的要簡單得多。試圖找出問題的答案時，會習慣性地轉向大腦，而不是心。然而，擁有最大智慧的是心，所以我們必須學會問：「我的心對這件事有什麼看法？」

許多人習慣用頭腦而非用心聆聽。毫無疑問：頭腦很有用，但也常會誤導我們。聰明採取的立場能言善道又淺薄，相比之下，心探討的深入許多。它具有智力可能缺乏的智慧。

做決定時，最好同時諮詢頭腦和心靈。頭腦可能會敦促我們迅速果斷，而心會敦促我們暫停下來，衡量更微妙的變數。心與直覺相伴，給予的建議可能並不合理，但可能「感覺」正確。聆聽自己的感受會找到一條穩當的道路。我們受到指引，並且被指引得很好。

相信內在指引，跟隨你的心，因爲你的靈魂有你的藍圖，而宇宙會支持你。

——賀瑟．巴特沃思（Hazel Butterworth）

由理智指引的生活可能「聰明」但淺薄。理智往往會爭取短期的勝利，而心則把重點放在長期。心有大智慧，而不是小聰明。努力過著更眞心的生活時，理智會在每一步都與我們抗爭。想當然爾，理智習慣作主，現在我們要求它讓位，讓心成爲生活的主要指南。我們提出了不同的問題，不問：「這是最聰明的路線嗎？」而是問：「這條路線是最有智慧的嗎？」這些問題的答案往往大相逕庭。心可能會將我們推向新的方向，而理智會選擇經過檢驗證明是可靠的情況。

爲了讓自己走上最有智慧而非最聰明的道路，我們會轉向直覺。預感和暗示成爲朋友，我們開始加以依賴。這種對心靈產生的新依賴讓生活過得更舒適，不再試圖變得精明，並且讓非常注重「聰明」和「機靈」的自我坐冷板凳。自我退場後，我們會開始以情緒來判斷，做自己感覺對的事，而結果也證明這樣做才正確。

毫無疑問，理智不會輕易放棄主控權。知道心取得的新力量之後，它會蒐集所有可用的武器，而其中最重要的就是有力的懷疑。心靈要求我們相信自己，理智則告訴我們，我們不能被信任。理智有輔助工具：用來對抗心的話語，例如「天眞」和「愚蠢」這樣的詞。理智自詡爲領導者，自以爲老練又精明，攻擊心靈「幼稚」且「令人尷尬」，表達嚴厲的蔑視。我們習慣聆聽理智，現在必須教導自己要能辨別。我們必須問問自己在聽哪種聲音。理智是霸凌者，想爲所欲爲，贏得勝利。

我們可以閉上眼睛，探入內心，總是接受正確的指引。

——史瓦米・迪安・吉騰（Swami Dhyan Giten）

心有溫柔的聲音，平靜卻又持續。透過練習，我們學會加以辨別。我們問自己：「這是信仰的聲音，還是恐懼的聲音？」心是樂觀主義者，而理智是悲觀主義者。我們習慣聆聽理智，它用悲觀的想像來娛樂自己。心的語氣較歡快，但並不像理智指責的那樣天眞、愚蠢或幼稚。相反的，心與靈性有關，與神聖的智慧和對我們好的更高力量相連結。理智嚴酷、不耐煩又苛刻，而心是溫柔的；理智鋒利，而心柔軟；理智強渡關山，心卻懂得勸誘。做決定時，必須不斷練習聆聽內心；依靠理智是刻板的習慣。我們必須學會問自己，「我的聆聽僅僅是習慣，或者我在聆聽更深沉、更眞實的東西？」當我們不以習慣方式聆聽時，心就會對我們說話，輕柔且持續。聆聽內心時，生活就會變得更加有智慧和健康。最後，我們會喜歡心勝過理智。

試試看

選擇一個需要指引的主題。提出問題，然後聽取答覆。不要將聽到的視為「只是你的想像」，畢竟，你的想像力是美妙的能力。

雪的寂靜

我和莉莉被雪困住。大雪掩蓋了所有聲音。我們的寂靜世界很平和，感官也適應了寧靜。根據天氣預報，這場雪會從白天下到黑夜。坐下來寫作時，我感覺到安靜讓指引顯得更響亮。被雪困住有種神奇的感覺，或許是因爲外面的世界受到覆蓋，反而幫助我們更深入與自己連結。

刺耳的電話聲響起。我在響第二聲時接起。我的朋友史考蒂．皮爾斯從聖地亞哥打電話給我。

「被雪困住了？」她問。她看著聖塔菲的天氣，很感激自己能待在溫暖的地方。

「是啊。」我同意。

「這裡有二十四度，」她告訴我，「萬里無雲，非常晴朗。我在看港口裡的船。」

「聽起來很寫意，」我告訴她，「但這裡非常寧靜。」

史考蒂在緬因州住了許多年，很喜歡下雪。「對，雪很寧靜。整個世界都變得安靜。」

「我喜歡安靜，」我告訴她，「安靜讓我感覺平靜。」

「對，我記得，」史考蒂說，「我喜歡雪，討厭的是寒冷。」

聽史考蒂說，就連聖地亞哥對她來說也太冷。「這裡有些日子涼爽但潮濕——妳知道那種潮濕又寒冷的感覺。」

「我知道，我記得住在芝加哥的日子。」

史考蒂讚賞地笑了。「不像新墨西哥州或亞利桑那州的乾冷。」

「對，」我說，「不一樣。」我清楚記得芝加哥潮濕、刺骨的寒冷。我四十多歲時在那裡住了八年，每個冬天似乎都比以前更糟。

當電話再次響起，我正準備寫作。我跳起來接聽。來電者是我新交的朋友雅各・諾德比（Jacob Nordby），他是我敬佩的作家。

「雅各，」我吸了口氣。「眞高興聽到你的聲音。我在新墨西哥州，現在被雪困住了。」

雅各發出溫暖而爽朗的笑聲。「很高興聽到妳這麼說，」他回答，「還有被雪困住！聽起來很刺激。」

雅各是遵循聆聽之路的榜樣。他很細心聆聽環境和朋友，並習慣聆聽更高的指引。身爲鼓舞人心的老師和作家，他鼓勵學生也這樣做。

「我想告訴你我有多喜歡你的文章。」我冒昧地說，「我讀了兩次，兩次都很喜歡。你的語氣十分親切和鼓舞人心。」

「啊，眞是太過獎了。謝謝妳，」雅各回答。

「我做了練習，覺得很棒，」我繼續說，「我在想，也許我可以把它偷用在我的教學中。」

「儘管去做，」雅各又笑了，然後回歸正題，「妳寫得怎麼樣了？」我認爲撒謊沒有意義，便承認，「感覺跌跌撞撞，一天只寫一兩頁。」

「我也一樣，」雅各承認，「去年我寫了六萬字，根本都不合格。我已經搞砸了第一個交稿日，必須從頭開始。這一次我想，『你越來越接近你想要說的。』」

我讀過雅各的三部作品，他的風格非常有說服力，對話非常溫和，我告訴他：「你寫得很好。讓自己休息一下。」

寫作的藝術就是發現你相信什麼的藝術。

——福樓拜

雅各回答：「妳對我作品的讚賞來得正是時候。我現在需要鼓勵。」他的新草稿已經寫了四萬字，正準備構思結局。

「也許我們都需要鼓勵，」我想。我對雅各說：「去年我也扔了一本書，就是不夠好。理智告訴我那本書不錯，但心有不同的看法。」

「啊，沒錯。」雅各呼了口氣。他也試圖發自內心寫作，以求眞實。他和我一樣相信，好的寫作就是眞誠的寫作。在力求原創時，他只需要記住他就是作品的起源，因爲他忠於自己，所以他當然有原創性。他會自動聆聽和記錄聽到的內容，就像在我們尋求指引和明晰時聆聽超越理智的心一樣，可以發自內心寫作。記住這一點讓我受到鼓舞，知道雅各和我一次一個字的堅持，相隔遙遠也有共同想法，也讓我受到激勵。

雅各和我互相提醒要發自內心寫作，結束了談話。

我們是彼此的相信鏡。

窗外，雪仍下著，在陽光下閃耀。然後太陽變得更加執著，推開剩餘的雲朵，留下一片湛藍的天空。

雪不再覆蓋一切，聲音再度回歸，清晰而乾淨。一隻烏鴉在院子裡發出沙啞的叫聲。一輛卡車緩緩駛過。

試試看

使用雅各的其中一樣工具，「仔細觀察生活」，找出「熱點」，也就是困擾你的領域。針對每個熱點寫幾句話。現在選擇你覺得「最熱」的領域。你能聆聽有關該主題的指引嗎？你聽到什麼？

把聆聽當成閱讀

「我認爲妳應該隨機打開妳的大祈禱書，」史考蒂建議我。她在談論我的書《向偉大的造物主祈禱》（*Prayers to the Great Creator*）。「這本書會平息任何焦慮——對我很管用。」

我很難想像史考蒂會受焦慮所擾。三十五年來，她一直追求聆聽之路，每天早上從五點三十分到七點三十分安靜坐著。她很珍惜這段平靜的時光，聽到了指引，聆聽心靈深處的呼聲。

「我把計時器設爲二十一分鐘，然後安靜坐著，」史考蒂說明，「坐下後，我讀魯米的書，祈禱並念誦。我要求一天平靜展開，充滿喜悅和輕鬆。」

不管在一天中什麼時候遇到史考蒂，都會發現她神采奕奕——完全感受不到焦慮。她告訴我，她一整天都在用更高的力量檢視自我，因此靈性閱讀讓她的靈魂平靜。

問題的關鍵只在於，我們弄清楚如何接收等待被聽到的想法或資訊。

——吉姆．亨森（Jim Henson）

「我隨意打開祈禱書，要求看到我需要的段落。我讀了一篇禱告文，有時幾篇。總而言之，我安靜了一個半小時，或兩小時。我的房子朝東，所以我看著太陽升起。我在黑暗中開始，看著光明到來。這是一段非常吉祥的時刻。」

史考蒂對聆聽的依賴使她變得勇敢。她與更高的領域連結，使她在這一領域的生活變得輕鬆。

「我從不害怕。」她告訴我，她的無所畏懼使她環遊世界。在過去的一年裡，她航行了地中海，開車穿越愛爾蘭，還去墨西哥與朋友相聚。旅行使她感到滿足。聽她訴說她的旅程——我們用電子郵件保持聯繫——讓我感到敬畏。

「我在旅行時仍然會靜坐。」史考蒂告訴我。在她的建議下，我也試著靜坐，但發現我在寫作時更能感覺到指引。

「只要有用就好。」史考蒂解嘲般地評論道。她並非看不起我這種非正統的靜心練習，相反的，她經常催促我「爲了指引而寫」，完全相信我「聽到」的可以指望——並且可以依此而行動。「更高的力量」，正如我說的，對我的人類事務非常感興趣。祂們聽我說，我也聽祂們說。

當我撰寫她提到的祈禱書時，我每天都這樣做，一次一篇祈禱文。我在晚上寫祈禱文，讓自己置身一天結束的平靜中。現在閱讀這本書，正如史考蒂建議的那樣，我因爲祈禱文彷彿是自己的作者而感到驚嘆。經過這幾年，祈禱讓我暫停。我聆聽，也寫作。我相信自己聽到的。而現在再讀一遍，我發現這些祈禱文鼓舞人心又有幫助。

「我簡直不敢相信我寫了這本書，」我告訴史考蒂，「祈禱文感覺起來受到啓發。」

「當然如此，因爲妳受到了啓發。」史考蒂反駁。

信仰在於接受靈魂確實存在；不信則是否認靈魂存在。

——愛默生

「受到啓發」是藝術家經常談論和體驗的感受。重要的是要注意，雖然我們有時可能「感覺」受到啓發——也許是一個項目找到明確的方向，一個想法突然出現，或者想法不斷冒出，以至於來不及寫下——我們也可能以不那麼誇張的方式受到啓發。寫書時一次寫一頁。作家的生活也是日常的生活，在頁面上添加文字的生活。就像某一天、某一刻或某句話可能在當下感受到的平凡一樣，我們絕對可以同時受到啓發。

試試看

讀書是一種聆聽的形式，你「聽到」作者要說的話。有些書很有智慧，作者被認為受到了啓發。選擇一本你認為有智慧的書，每天認真讀三次，讓你的精神得到滋養，讓聰明的作者對你「說話」。閱讀魯米或卡比爾（Kabir）的作品，或選擇你喜歡的作者。好好享受。

平息焦慮

今天是行李打包日。明天我將飛往紐約參加會議，並見朋友，然後從那裡飛往倫敦。我將在倫敦教授兩天課程：「藝術家之路」的密集課。我教過這堂課很多次，但每次授課都讓我感到緊張，因爲每個班級都獨一無二。我抱持樂觀態度：將會遇見一群熱切的學生，幽默而熱情。過去我在倫敦也曾遇過這樣的學生，但在上課之前毫無頭緒。根據我的經驗，一百顆蘋果中只要有一個壞掉，就會讓教學變得困難。相反的，我希望學生有朝氣，足夠成熟，以抵抗自己的抗拒心態。這樣的課程教起來令人興奮——我們可以在兩天內完成四天的課程。當工具施行魔力時，我從教室最前方就可以看到學生的臉閃閃發光。

當在困難的情況下似乎不可能做更多的事情時，讓自己屈服於內心的沉默，然後等待明顯的指引或內在力量的更新。

——保羅・布魯頓（Paul Brunton）

但目前是緊張而不是興奮的時候，打包總是讓我感到焦慮；我帶走的行李是接下來兩個半星期內我可以使用的所有財產。我擔心會忘記某樣重要的東西。理智上，我知道會先去一個大城市（紐約），然後去另一個（倫敦），如果眞的需要什麼，肯定能在那裡找到。當然，我確實曾在旅行中發現需要的東西，並且能夠找到一些不僅實用而且特別的東西。

有次我在倫敦因爲意外的雨天買了有圖案的黑色外套，這件外套經常讓我受到稱讚。

「我在倫敦買的。」我分享道。

「哦，怪不得。」稱讚的人會點頭。

聆聽我更高的指引，即將到來的旅行讓我感覺平靜與受到鼓舞。我想起自己確實得到支持，受到即將去的地方和高我支持。我列出了一長串要帶的東西，從護照和現金開始，然後按照自己的方式列出其餘物品。我滿意地收拾好所有東西，闔上行李箱。

從聖塔菲到紐約的旅行時間很長，比從紐約到倫敦的時間更漫長。住在山中的生活有風景和鳴鳥、土坯和青辣椒、清新空氣、安靜的晴天和張牙舞爪的劇烈暴風雨。這也代表，很少有從聖塔菲直飛的航班配合我繁忙的旅行時程，導致我對達拉斯／沃思堡機場這一處我經常轉機的地點瞭若指掌。

我有些朋友經常旅行；史考蒂不僅環遊世界，而且在美國不同地區擁有房產，於是可以自在地到處旅行。有些朋友則選擇不旅行，寧願留在紐約、新墨西哥或洛杉磯。我注意到，雖然旅行似乎總是讓我一再感到焦慮，但我仍總是選擇去旅行。我接下來的旅行地點包括紐約、芝加哥、倫敦、巴黎、羅馬、愛丁堡和聖托里尼。我提醒自己，這不是不想旅行的人會做的事。因此，我聆聽指引，聽到：「一切都會好好的。妳有很多東西要分享，而學生對此很感激。」我冷靜下來並開始感到興奮——我眞的很喜歡去倫敦，設置了鬧鐘，然後和接我去機場的車會合。

在登機門等候時，我打電話給朋友傑洛德，確認我們隔天在紐約的午餐聚會。和傑洛德說話時，我發現自己很樂觀。傑洛德就是樂觀的人，情緒也很有感染力。他問候我的近況，耐心聽我回答。

「倫敦的活動應該會很順利。」傑洛德說。

「是的。」我勉強回答。

「過去的經驗很不錯。」他堅持。

「對，是不錯。」我同意。

「妳會做什麼好玩的事？」傑洛德詢問。

我告訴他我會散步，欣賞倫敦的街區。

只要願意尋找，每個人可以在自己內心找到更好的指引，遠勝任何人所能。

——珍・奧斯汀

「嗯，我期待明天能見到妳。」他說。

登機時，我被感激之情震撼。「我很幸運能看到這個世界，也能經常見到遠方的朋友。」我心想。我將抵達紐約，並在熟悉的旅館安頓下來。好好睡一覺之後，我會點客房服務的麥片和咖啡早餐。我會寫晨間隨筆，然後去市中心和傑洛德共進午餐。我注意到自己的思緒是如何從焦慮轉向感激，甚至是興奮。是不是因爲我聽取了高我的指引，而我聽到的是鼓勵？我相信是。

試試看

選擇一個你經常感到焦慮的話題。如果可以，試著選擇之前一直難以尋求平靜的領域。現在就這個問題向你的高我尋求指引，並聆聽所「聽到的」。你可能希望把聽到的指引寫下來。這個指引是否比原本焦慮的想法暗示的更平靜、更鼓舞人心、更樂觀？當你聆聽鼓勵時，是否感覺到從焦慮到感激、平靜或樂觀的轉變？

聖塔菲的春天小提醒

是的，在順利、有生產力、愉快的倫敦之旅後，我回到了聖塔菲。英國學生確實機智又充滿活力。他們的幽默很有感染力，熱情也鼓舞人心。主人很討人喜歡，讓我們享受經典的英式奢華，吃節日大餐，並在城市附近短程旅行。在接收了新鮮的景象和聲音之後，我帶著樂觀的心情和成就感回家，心中清楚學生在那個週末結束時帶著工具和興奮離開。

> 內在的指引就像是夜裡的輕柔音樂，那些已經學會聆聽的人才聽得到。
>
> ——弗農．霍華德（Vernon Howard）

回到家，夕陽映照著群山。今天很溫暖，山峰上的積雪大多已融化。院子的外門旁，一株紫丁香正盛開。我帶著莉莉出去散步時，一隻肥滿的蜥蜴從面前飛奔而過。那隻蜥蜴是條紋品種，不是美味的灰色，所以莉莉視若無睹。我們爬上樓梯到泥土路。一輛駛近的汽車發出轟隆聲，我把莉莉拉近身體。駕駛經過時歡快地揮手致意。我愛聖塔菲。

在我出發往倫敦之前，樹木還是冬天的一片光禿禿。我離開的兩個半星期裡，儘管下著雪，樹木也長出了鮮綠色的新葉。那些被冰雹損傷的開花樹木，急於落花，讓樹葉在夏天繼續茁壯。我也渴望夏天到來。玫瑰和百合會在夏天盛開。白天的炎熱過去後，我將坐在戶外的暮光中。螢火蟲會不斷閃爍，直到夜幕降臨。

就在今天，黃昏時間變長。直到八點，天色都尚未變暗。穿過聖塔菲最受喜愛的廣場，我向一位朋友打招呼。他穿得很多。

「白天的時間變長了，」他向我打招呼，「溫度升高十度，我可以脫掉外套。」

「對啊，我們可以。」我同意。我也穿得很多。

回到家，我把外套掛在衣架上，檢查自動調溫器，並調高了幾度。我脫掉外套後覺得屋子裡很冷。電話響起，來電的人是史考蒂。她最近動了口腔手術，聲音聽起來比幾天前更好更強壯。

「我漸漸康復，」她宣布。「我感覺得到每天都變得更好。」

「妳聽起來跟平常差不多。」

「我不該說太多話。」

「妳的聲音變得比較穩定。」

「今天下午外科醫生打電話給我，警告我不要說太多話。我只是想問候妳。」

「我很好。我今天的寫作很愉快。」

「那總是會讓妳振作起來。」

「沒錯，確實如此。我帶著莉莉走了很長一段路，蜥蜴都出來了。」

「已經出來了？」

「是的，已經出來了。」

「我的聲音不太對勁。我最好掛電話了。」

「我明天打給妳。」

「太好了。」我們結束通話。

我欽佩史考蒂的韌性，她以勇氣和幽默迎接生活中的挑戰。她的外科醫生告訴她每二十分鐘就得冰敷臉頰，如果是我，肯定會討厭這樣的指示，也不會乖乖照做，但史考蒂就是會毫無怨言地遵守。

她告訴我，「我臉部瘀青又腫脹。我很感激從未受到過虐待。」史考蒂總是能找到鑲著烏雲的銀邊。

現在該是休息的時候。我一直早睡早起，想要擁有完整的白天時光。早上六點，我欣賞鳴鳥早晨的小夜曲。當天稍晚起風時，我記得告訴自己「很快就會過去」。當風平息時，房子裡除了滴答作響的廚房時鐘之外一片寧靜，我好好品味這相對的安靜。

我不在家時，曾數過倫敦的警報聲。倫敦這座城市對我來說很嘈雜，我還是渴望聖塔菲和大自然的音節。現在回到家，我卻想念起城市的嘈雜聲，彷彿耳朵已經習慣城市生活的聲音。聆聽之路一次引導一個聲音。

試試看

到一個不尋常的地點，不必在國外，可以只是去你通常不會去的地方。聆聽環境的聲音，並注意與你習慣聆聽的聲音有何不同。新的環境聲音讓你有什麼感覺？又帶來了哪些洞察？

聽見爲憑

我拿起電話打給認識多年的聖塔菲藝術家帕梅拉・馬爾科亞（Pamela Markoya）。我知道她透過聆聽來創作，並邀她共進午餐。我相信她在創作過程中會積極聆聽高我，而我們在一家日本餐廳見面時，她證實了我的信念。

帕梅拉像模特兒般優雅，身著黑色緊身牛仔褲和深紅色上衣，身材引人注目。她頭髮烏黑，皮膚白皙，是個美人。當她準備入座時，所有的目光都追隨著她。

「你好，很高興見到你。」她向餐廳老闆打招呼，他是一個身材瘦小、惹人注目的日本男人。「妳好嗎？很高興見到妳。」店主回應。帕梅拉坐下並解釋：「我是這裡的常客。所有餐點都既美味又新鮮，壽司很棒，便當盒很出色——串烤魚貝也是。」

我指著看起來像是亞洲字母的菜單。我點的菜很簡單：味噌湯和加州卷；帕梅拉的比較複雜。

她對菜單瞭如指掌，將長而濃密的頭髮甩向一側，開始點菜。我請她跟我談談她的練習，以及聆聽在其中扮演的角色。她大膽切入主題。

「我的練習是坐下、呼吸和聆聽，」她開始說，「我的寫作是一種旨在分享的藝術形式。我寫情書給心愛的人，心裡清楚會有人閱讀。就寫作而言，從字面上看，我將墨水筆放在頁面上並聆聽字詞——然後寫下聽到的，就好像把聆聽的耳朵連到墨水上。我可能會對寫的內容感到驚訝，而且經常發生。」帕梅拉啜了一口茶，整理思緒，然後繼續。「若是什麼也沒聽到，我就會停止寫作。聲音一字字展開，各具特色，具有語調、抒情和色彩。通常有幽默感，而且我真的『聽到』了幽默和多變的字母一一展現。」

我們的味噌湯到了。正如帕梅拉承諾的那樣，新鮮又可口。帕梅拉舀了一勺湯，然後放下勺子繼續思考。

當作品接手，藝術家就可以讓開，而不是干涉。當作品接手，然後藝術家聆聽。

——麥德琳·蘭歌

「當我畫畫時，」她說，「我呼吸並淨化一切。雖然畫畫是一門視覺藝術，透過所見來呈現，但我聆聽畫筆，並且得到非常明確的方向。在痕跡創作的過程中，我很少改變任何東西。痕跡創作是我聆聽的一種語言。」帕梅拉笑了，淡淡地繼續說：「是的，我是很好的聆聽者。我認爲聆聽是墜入愛河的方式。與他人能量共鳴，聽著語言之外的語氣——我認爲丘比特有一雙大耳朵。我認爲愛要求我們聆聽——聆聽那些詞，聆聽詞與詞之間的空間，也就是沉默。我們被要求超越舒適圈，聆聽未知，聆聽脆弱。對我來說，正是在聆聽中，才能擁有力量、意願和勇氣，去投入愛的舞蹈，藝術的實踐。」

我們點的兩個壽司拼盤上桌。默默吃了好幾分鐘，帕梅拉又開始說話。「沒有聆聽，就沒有愛，」她說，「在我的創作實踐中，聆聽讓我進入與人之間的精神連結。是的——沒有聆聽，就沒有愛，沒有連結。而藝術就是在討論連結。」

我們狼吞虎嚥吃著壽司，吃完後並不飽足，於是決定點第二輪。帕梅拉利用用餐的空檔延續討論。

「我聆聽宇宙告訴我事情，」她說，「我剛離婚時，情緒非常脆弱不穩定，不明白我有多需要照顧自己。我開始注意到警笛——警車、消防車、救護車。警笛提醒了我要停止、呼吸、檢查身體——眞正進入當下。十年後的今天，我繼續這樣的練習。我聆聽，並發現我曾有一次與宇宙的互動體驗。我聽到教堂的鐘聲或鐘樂時，會停下來祈禱。透過聆聽，宇宙就是我的老師。」

帕梅拉最後分享的想法是，「聆聽讓我們接觸到古人。神話、天使、精靈、神祕主義者。聆聽中有一種永恆。他們說眼見為憑——我認為聽見為憑。」

試試看

聆聽將我們連結到更高的領域。拿起筆，問自己：「我需要知道什麼？」寫出你「聽到」的答案，這個聲音來自更聰明的自己。把建議放在心上。

聆聽存在內心的神

「我一直以為我們是約十二點三十分，而不是十二點。」布倫達琳・巴徹勒

（Brendalyn Batchelor）牧師和我約在「愛自己」咖啡館共進午餐，她爲自己的遲到致歉。她穿著鮮豔的條紋上衣和綠松石色哈倫褲，金髮如絲綢帷幔垂下，看起來不像牧師。二十五年的工作經驗讓她獲得休閒裝扮的權利。

「我喜歡妳的頭髮。」我告訴她，但她不理會我的讚美。

「我明天要去剪頭髮。」

「呃，這樣啊。」

布倫達琳放下一個蓬鬆的抱枕，只瞥了菜單一眼就知道要點什麼：素食特餐、煎鍋蔬菜，裡面有紅薯、羽衣甘藍、洋蔥、蘑菇和酪梨。她點了蔬菜，我則點了一碗水果燕麥。

等候餐點時，我開始提問：「聆聽靈性之道有多重要？」我問她。這個問題引起了她的興趣。

「我認爲必不可少，」她回答，「我一直在聆聽心靈深處的呼聲。」她輕拍自己的胸口，彷彿是在敲門，尋求回應。

願你總能找到直覺的聲音，願你的直覺用它的語言歌唱。

——喬迪・李馮（Jodi Livon）

「妳怎麼聆聽？」我問她，想像她在祈禱。

「這個嘛，」她說，「我每天靜心兩次，每次一小時。我變得安靜，並在身體有些感受蠢蠢欲動時特別留心。我沒有做任何特別的事，只是注意到發生了什麼。」

我們的餐點到了，布倫達琳專心吃著。我耐心等待她繼續。在吃飯的空檔，她說：「我聆聽寂靜，並收到訊息，得到下一步該怎麼做的指引。」

我停下來用湯匙攪拌燕麥片，然後問，「所以妳專注聆聽，而妳的注意得到了回報？」

「是的，」布倫達琳說，「就是這樣。我最近聽到一句話，正巧可以描述我的經驗。講者說靈性聆聽是『用耳後之耳聆聽』，我聽到後想『正是如此』。」

「妳祈求指引嗎？」

布倫達琳放下叉子解釋，「我在聆聽內心。我不相信不存在於我內心的神。」她又開始吃了起來，咬了一口紅薯和一點酪梨。正如一行禪師建議的那樣，她用心進食。

她詳細說明：「我是神的一部分，神也是我的一部分。」當她點頭同意自己的聲明時，她絲綢般的頭髮輕聲擺動。

「我相信神會聆聽。」我告訴她。

「而且我總是相信聆聽。」布倫達琳回答，吃下最後一口紅薯，讓我思考她對神的概念，她一直在聆聽。

「所以，如果我相信神會聆聽，妳相信神會說話嗎？」

「差不多是。我的訊息很實用——我聽到接下來要做什麼。」布倫達琳描述了可能被稱爲「靈性廣播」的概念，她的工作就是「總是轉到正確的頻道」。

靈魂的彩虹比天空的星星有更多的顏色。

——馬修娜．德利瓦約（Matshona Dhliwayo）

「我不相信自己以外的神，」她解釋，「相反的，我相信存在於我內心的神。」

「所以當妳祈禱時，妳是在向自己祈禱？」

「很接近。我不相信對我有其意志的外神。」

「但妳相信妳內在的神有計畫嗎？」

「我相信我一邊聆聽一邊學到計畫。正如我之前說的，我是神的一部分，神也是我的一部分。聆聽是關鍵。」

試試看

寫出你從小就相信神擁有的五個特質。看看這份清單。如果有的話，你想保留什麼特質？現在寫下你希望相信神擁有的五個特質。你理想中的神會是……仁慈、有趣、睿智、溫柔、慷慨？

不會讀心的聆聽者

體能教練蜜雪兒．沃薩認為，聆聽「就是一切；我工作的鑰匙」。苗條、纖瘦又美麗的她，是她抱持理論的活廣告。

「我聆聽是為了防止客戶受傷，當他們感到不適時會告訴我。我聆聽，並調整他們的訓練課表。當然，每個人都想變瘦，但這需要時間和謹慎。我把動作放慢，成果回報了我。」

沃薩是狂熱的步行者，每天都走，也鼓勵客戶這樣做。「走路對背部有好處，」她說，「即使五分鐘也有幫助。」她繼續說，「任何努力都是好的——五分鐘、十分鐘，關鍵是頻率。不要認為你需要走很長時間，走一點點路都有幫助。」

沃薩教授的半小時訓練從有氧運動開始：飛輪十分鐘，跑步機五分鐘；接下來加上重量的墊上運動，再來是平衡運動，最後以伸展結束。伴隨這一切的，是沃薩令人信服的樂觀態度。即使是最小的收穫，她也會注意。

我每週與沃薩一起訓練三次，持續了六個月。一開始，我很難完成訓練課表，現在變得比較容易。我的訓練重量更重，重複動作的速度更快。沃薩指出，雖然我沒有變瘦，但更加健美。鏡子告訴我這是事實。我想更進一步，但沃薩不願意讓我的身體增加負擔。聽了我的暗示，她堅持了半個小時，相信慢慢來比較好。

「妳的背狀況如何？」她問。我很高興地報告，我的背完全不痛。在我和她一起訓練之前，我患有慢性背痛，右邊的肌肉比左邊的緊，沃薩的伸展讓兩邊的肌肉變得平均。「現在，如果妳的背部又開始痛，我希望妳能做我教妳的伸展，」她指示，「而且我要妳告訴我。我是很好的聆聽者，但我不會讀心。」

直覺用靈魂觀看。

——丁・昆士（Dean Koontz）

「妳差點就騙過我。」在我們一起訓練這段時間裡，沃薩經常在我清楚表達之前就直覺偵測到我的疼痛。也許我有嘆氣或呻吟，微弱無比的嗚咽聲引起她的注意。正如布倫達琳說的，她在用「耳後之耳」聆聽。

對她而言，身體訓練是靈性之道。她首先留心自己的更高力量，然後是客戶。她被帶領向前，一次一步。她是眞正的治療師，對客戶和工作夥伴抱持同情。本身就是美人的她，努力發掘他人的內在美。她有耐心、寬容又溫柔，緩慢而細心地進行訓練。她提出問題並仔細聆聽客戶的回應，溫柔而高效地引領客戶，讓身體更健康。她聆聽客戶提供的微妙線索，規劃進度時皆以微幅增量。她對進步的樂觀態度爲與她一起訓練的人灌輸了樂觀情緒。

我感謝她的照顧，但她不以爲意。「我在乎妳，」她解釋。她的關懷顯而易見——而且能夠療癒人心。

試試看

放慢腳步，聆聽揭露的內情。了解「快」等於「擔心」，「慢」等於「知道」。

聆聽客戶的話外之音

曼哈頓的房地產仲介蘇珊．西莉（Suzanne Sealy）打電話給我「只是要確認我好不好」。十年前我住在紐約時，我們就已經是朋友，之後即使相隔遙遠也保持聯繫。她追尋靈性之道已經長達三十八年，是曼哈頓的頂級房地產銷售員，擁有成功的生活。她結合謙虛與經驗，成功發揮兩者結合的作用，並將自己在工作上的傑出表現歸功於聆聽的能力。她針對客戶的需求和願望，無論是說出口或未說出口的，與自己手上的物件加以成功配對。

「我聆聽客戶的反應，並觀察肢體語言，找出他們偏好的暗示與線索。以今天下午爲例，萊辛頓大道上有個街頭市集，而我帶客戶參觀了九十二街和萊辛頓大道交叉口一間位於三樓的後排公寓。公寓俯瞰著獨棟房屋的花園，安靜又祥和。我帶看房屋的這對夫婦喜歡安靜。我聆聽他們，他們則聆聽喧鬧城市裡安靜公寓的奢侈。妻子從一個房間移動到另一個房間，在腦海中規劃家具的擺放；丈夫則站著不動，沉浸在靜謐中。我讓公寓自己說話。窗戶開著，但什麼也聽不見。寂靜中自有喜樂。」

我實際上要說的是，我們要願意讓直覺指引自己，然後直接且無畏地遵循指引。

——夏克蒂・高文

蘇珊停頓了一下，深思熟慮地繼續說，「聆聽代表全神貫注。永遠不要急於結束談話，讓你的客戶多說一點是藝術，而當他們說得更多時，就需要耐心聆聽。」蘇珊又停了下來，想要表達得更精確。她繼續說，「我聽過關於聆聽的最好說法就是，這是結交新朋友的方式。問一個問題，聆聽答案，然後再問一個後續問題。這向對方證實了你眞的在聽。聆聽是聽懂話外之音，聆聽他們自己也不知道自己在說的那些內容。」蘇珊又停了一下，然後繼續說，「在房地產銷售中，聆聽非常非常重要。有時不是用耳朵聽，而是用眼睛聽。肢體語言很重要，會告訴你對方的態度開放或封閉。我的成功很大程度歸功於我聆聽。」

當我聽蘇珊講話時，我聽到了她敏銳的洞察力，能夠了解客戶的全貌，然後透過直覺進行解讀。每個人選擇房子都有自己的原因，當她將人和家一起考量，並進行配對時，更高的手——或稱爲靈感、機緣湊巧或命運——從中發揮了作用。沒錯，採光和臥室數量必須符合預期。沒錯，房屋的價格、位置和風格都必須仔細搭配考慮。但「家的感覺」更難以捉摸，蘇珊能夠聆聽這種溫和而強大的化學反應——就像太空對人類而言——是她獨有的強大禮物。

試試看

回想一下你覺得受到指引的互動。你比平常的自己更有智慧，在交流中體驗到了方向感。像蘇珊一樣，你聆聽並發現自己能夠引領。

本週回顧

你是否繼續執行晨間隨筆、藝術之約和全心漫步？

當你有意識地聆聽心靈深處的呼聲，有什麼發現？

你與自己的連結是否變得更加緊密？

你經歷過抵抗嗎？你抵擋得住嗎？

說出一次難忘的聆聽體驗。對你來說，帶來的領悟是什麼？

第 4 週
聆聽逝者

將死亡視爲生命的終結，
就像將地平線視爲海洋的盡頭。

——大衛・西爾斯（David Searls）

本週我們將更深入聆聽，與逝去的人建立連結。我們現在已經習慣聆聽，聆聽環境、同伴和高我，會發現下一步並不在想像可及之處。我們會發現，逝去的人感覺起來可能會比想像的更親近。如果能抵擋自己的抵抗，聆聽他們就可以既隨意又溫柔。

連結到人世之外

聆聽之路的第四週要我們聆聽死後的世界，這需要對靈性抱持開放態度。我們的社會與許多敬畏祖先並請求其指引的社會不同，傾向認爲祖先及已故的朋友非我們所能企及。「不是這樣。」聆聽之路說。如果我們對此抱持開放態度，就可以聽取已經去世的人的意見，你只需要願意嘗試。

當我們向已故的親友伸出手，他們也會有所回應。在生活中聽到他們說話的情況並不少見，只需要打開心門。寫下：「我能聽到X對我說話嗎？」答案顯而易見。我們「聽得到」所愛的人說話，有時很容易就發生，讓人不由得懷疑這樣的交流是否眞實。但如果是眞的呢？「不要懷疑我們之間的連結。」我們受到責備，所以被要求把懷疑放下，被要求變得脆弱、孩子氣和開放。只要合作，就會得到進一步的指引。

死亡結束的是生命，而不是關係。

——米奇・艾爾邦（Mitch Albom）

我每天都在與逝去的人交談。當我向外探詢，他們聽到了我並做出回應。第一個是名叫珍．塞西爾（Jane Cecil）的靈魂，她在生前是我的密友兼顧問。我每天都和她說話，也很感謝她的明智建議。

「我能聽到珍和我說話嗎？」我問。我很快就聽到了。

「茱莉亞，我就在妳身邊。」她繼續說，「妳受到妥善的指引。妳的路徑沒有錯。」

和我打招呼並讓我放心後，珍變得更加具體。她將注意力轉移到目前的問題上。「妳正在寫的書進展順利，」她告訴我，「保持穩定的步伐，不要懷疑自己。」

珍的訊息簡短而直接，令人安心，不可思議地準確解決我當前的擔憂，有時甚至在我確定之前就指出了問題。珍可能會說，「妳俐落又清醒，也會繼續在清醒中保持堅定。」在珍對我說話之前，我從未意識到自己一直對喝酒有所擔憂，但的確如此。珍的智慧超過我的智慧。

與珍「交談」之後，我將注意力轉向另一位朋友艾柏塔．洪斯坦（Elberta Honstein），她是摩根冠軍馬的飼養員。艾柏塔給我的指引保留了馬術表演圈的風格。「茱莉亞，妳是冠軍，」她可能會告訴我，「對妳來說沒有困難的障礙。妳很堅強，我給妳耐力和優雅。」

和珍一樣，艾柏塔的訊息也令人放心，他們解決了我認爲的「隱藏的擔憂」。我擔心自己仍不足，但艾柏塔向我保證我已做得夠好了。她稱我爲「冠軍」——馬術圈指的「優秀」。

看不見的線是最強的聯繫。

——尼采

艾柏塔和珍一樣，敦促我相信我們之間確實持續保持連結。「妳連結我，我連結妳，」艾柏塔安慰我說，「妳和我說話，我和妳說話。」她斷言，「我們一如既往，」她說，「我們的羈絆是永恆的。」

面對這樣的保證，我開始相信。當我寫出我「聽到」的，我開始想，應該讓更多人嘗試我的簡單工具。

要求「聽到」，然後聆聽。正是需要觸發了我與朋友連結。他們仍在世時，我們天天說話；他們過世之後，這種習慣仍舊繼續。有些話題我只能和珍說，有些話題則只能和艾柏塔聊。我對持續接觸和建議的需求使我開始聆聽。我會提出這樣的問題：「我能聽聽珍說對於X的看法嗎？」然後我會聆聽，彷彿她就和我共處一室。我發現她和我在一起。我手裡拿著筆，寫下我聽到的，寫下珍「對於X」的回答。

艾柏塔的情況也是如此。在她有生之年，我經常請她為我祈禱。當我因為教學感到緊張，會打電話給她。「把我放進妳的祈禱中。」我會要求。艾柏塔的祈禱給了我信心，我能感覺到持續給我正面的影響。當她離世——讓我猝不及防——我向蒼穹提出了要求。「艾柏塔，請幫幫我。」我拿起筆聆聽她的回應。「妳會做得很好，」艾柏塔從蒼穹深處承諾，「我給妳智慧、耐力和優雅。」我寫下「聽到的」，發現自己驚嘆於艾柏塔的沉著和尊嚴——無論是生前或是死後。

要知道，一切都與其他一切相連。

——達文西

珍和艾柏塔都保留了他們的特色，我看得出他們都「一樣」。當我和他們連結時，他們也和我連結，對於連結表現出令人振奮的渴望。他們提供的訊息總是鼓舞著我。我從接觸中感覺被看見，就好像在他們有生之年有過一次愉快的拜訪。我感覺他們並未眞正消失。有一段時間，我一直對這樣的連結保密，雖然對我來說很眞實，但我不想經歷他人的懷疑。隨著時間過去，我更加確信我們眞的有過接觸，而這樣的念頭不曾消滅。我向一些朋友傾訴了這些經歷。「珍說，」我會說，或者「艾柏塔提到……」令我欣慰的是，朋友並沒有嘲笑我透露的事。我擔心自己聽起來太像在臆想。當我承認這種恐懼時，我得到理解。正如一位朋友所說，「茱莉亞，臆想就是最讓人興奮的地方。」

「妳很幸運能直接接觸。」史考蒂告訴我。但我覺得這件事和運氣關係不大，而是心胸開放的緣故。如果有更多的人嘗試接觸，與已故親人的交流將變得司空見慣。

「但是，茱莉亞，如果逝者的回應只是一廂情願呢？」

若是如此，我的「一廂情願」將我引向正面的方向，而正向沒有壞處。這種接觸增強了自我價值。當我們努力配得上傳達的訊息時，就會成爲更好、更強大的人。「一廂情願」引領我們前進。

珍已經去世三年，艾柏塔則去世兩年。她們才剛離世，我就開始寫信給她們，至今已累積好幾年。翻閱日記，我發現她們的訊息基本保持不變。她們樂觀又寬慰人心，並敦促我要有信心，相信自己走在正軌上，得到了妥善的指引。我沒有接到可怕的警告，也許她們的指引讓我遠離痲煩。

「茱莉亞，」我聽到艾柏塔說，「妳的創造力完好無損。」

「茱莉亞，」珍附和，「妳和以前一樣強大。」

我有時會告訴史考蒂我聽到的內容。當我和她分享我對生活中一些問題感到困惑時，她會問我：「妳有沒有徵求過指引？珍和艾柏塔怎麼說？」多年來，史考蒂和我一樣信任我的指引。就我而言，我變得能夠與她談論訊息。她仔細聽我說話，從不指責我過於臆想。

我的相信鏡索妮雅．喬奎特是我的另一個知己。當我告訴她珍或艾柏塔對某事的看法時，她敦促我相信她們。當我向她坦白自己發現連結她們很容易——容易到我有時會懷疑是否眞實——身爲家中第三代靈媒的索妮雅指責我，「不要認爲這一定很難，」她警告我，「與靈魂的交流本就簡單而自然，不要認爲需要大量精心的訓練。」因此，從未受過訓練但心胸開放的我，堅持相信這些連結。我問：「我能聽到珍說話嗎？我能聽到艾柏塔說話嗎？」我聆聽她們的回應。她們是我聆聽之路中不可或缺的一部分，我已經學會相信她們的訊息眞實存在。

如果只想到山河城市，世界就如此空蕩；但要是認識與我們一起思考和感受的人，儘管距離遙遠，在精神上卻很親近，這使地球對我們來說，變成有人居住的花園。

——歌德

開始探索這種連結時，首先會傾向忽略聽到的訊息。「有這麼容易嗎？」我們懷疑。難道不應該是費盡心思也不容易「聽到逝者的聲音」嗎？

不，索妮雅堅持。

重要的是我們明確期望能夠並將會聽到所愛之人的聲音，對接觸的純粹渴望建立了通往彼岸的橋梁。我們祈禱能聽到，並確實聽到了所愛之人接收我們的呼喚。他們的訊息令人寬慰。「不要懷疑我們的牽絆，」他們說。

如果我們想體驗連結，保持脆弱是必須承擔的風險。

——布芮妮・布朗

所以必須學會懷疑我們的疑慮。隨著文字在意識中形成，必須相信接收到的那些文字來自另一個世界。聆聽並記下「聽到」的東西，那是所愛之人深情而平靜地對我們說話。他們不像我們一樣懷疑彼此之間的連結；相反的，他們歡迎這樣的連結，也歡迎我們。他們清楚傳達話語，而我們記下，發現自己得到了安慰。他們的愛意顯而易見。幸福感向我們襲來。把手伸向蒼穹，連結所愛的人時，他們也會和我們連結。即使他們已經逝去，我們仍舊被愛，也能感受到那樣的愛。

「我能聽到X說話嗎？」我們詢問，就好像打電話一樣。X回答我們，「你在我的監護下，安全且受到保護。」我們拿起筆開始書寫，邊聆聽邊寫下，愛的訊息透過書寫文字展開。白紙黑字：這就是連結！

試試看

我邀請你嘗試臆想。選擇一個你覺得在他們生前跟他們特別親近的朋友或家人，問一個簡單的問題，「我能聽到X說話嗎？」準備好很快就收到肯定的回應，你就可以聽到X說話。聽聽X告訴你什麼。很多時候，你會覺得很安心，就好像找到一段珍貴對話的線索。訊息可能簡短但直接。十之八九，這樣的訊息會讓你感到被愛。感謝對方與你連結。如果你願意，承諾很快會再次連結。

用頭腦聆聽，也用心聆聽

蘇珊．蘭德（Susan Lander）有一頭鬈曲的棕色頭髮和大眼睛。她看起來很理智，也確實如此。她是靈媒，與逝者交談並接收訊息。當我分享與逝者交談的經歷時，她成爲我的相信鏡。她對這個話題的放鬆與相信感染了我。她相信死後靈魂的生活遠非一廂情願，就與在世的生活一樣眞實。我們的對話振奮了我。我拿起電話，打到佛羅里達給她，請她談談聆聽逝者。於是對話熱烈展開。

「我認爲，聆聽有不同的層面，」蘇珊解釋，「在一般的談話中會有聆聽。我試著不要太膚淺，但經常發現自己聆聽是爲了回應，而不是深入聆聽。因爲我喜歡分享經驗，所以這對我很有挑戰性。我有時會發現自己聆聽不是爲了聆聽，而是爲了回應。我是非常外向的人——我喜歡說話。」

我們都是相連的……你不能將生命與另一個生命分開，就像你不能分開微風與風。

——米奇．艾爾邦

彷彿在證明，她滔滔不絕。「去年我眞的很努力去眞正好好聆聽。用心聆聽別人說的話，値得尊重。我最喜歡交談的對象是語言病理學家。她非常了解說話的模式，並設定停止和聆聽的節奏。她設定了我們談話的節奏。事實上，她讓一切都慢下來——眞的讓人很放鬆。當她講話時，我會專心聽她說，反之亦然。我感覺自己是地球人蘇珊。」

蘇珊放慢說話的速度，近乎沉思。她的話反映了意識的轉變。她解釋，「然後是靈媒蘇珊。這眞的不一樣。擔任靈媒的過程包括將自己放在一邊，全心全意聆聽靈魂。我的目標是讓我站在一旁，只擔任傳達靈魂訊息的管道。靈魂的訊息是多感官的。我聽到、看到並感受到他們的訊息。我全身投入，不像在一般談話中只有大腦投入。重要的是，我使用整個身體，而非僅僅進行智力上的對話。」

再一次，我想起了用頭腦聆聽和用心聆聽的區別。蘇珊描述的看來是兩者的結合。

蘇珊繼續說：「當我聆聽靈魂時，感到極度的神聖。我被信任可以傳遞他們的訊息，所以非常認眞聆聽。這是巨大的責任和禮物。這些靈魂是人們的摯愛。我正在爲地球上的人聆聽，因爲他們沒辦法像我一樣。我必須百分百投入其中，必須專心聆聽。我變成了巨大的超自然天線。」

蘇珊停頓了一下，整理思緒，然後繼續。「這麼做也很有回報，感覺很棒。舉例來說，我現在看到你那位冠軍馬飼育員朋友的馬。這是她送來的明信片，把神聖的神送到世間。」我微笑著，想起艾柏塔，知道她就在附近。

我們失去的東西最終會以某種方式回到我們身邊，雖然不總是以我們期望的方式。

——J. K. 羅琳

試試看

閉上眼睛，想像自己身處一個特殊的地方。走進那個地方，想像與你的靈性嚮導會合。你看到誰，看到什麼？最重要的是，你聽到什麼指引？你的嚮導聰明而溫柔。允許自己接受靈性上的建議。感謝嚮導的指引，恢復正常意識，知道已經建立了連結，並且在需要指引時，可以再次拜訪你的嚮導。

本週回顧

你是否繼續執行晨間隨筆、藝術之約和全心漫步？

當你有意識地聆聽逝去的親友，有什麼發現？
你與逝者的連結是否變得更加緊密？
你經歷過抵抗嗎？你抵擋得住嗎？
說出一次難忘的聆聽體驗。對你來說，帶來的領悟是什麼？

第 5 週 聆聽英雄

帶著學習的意願聆聽。

——尤納里・拉瑪魯（Unarine Ramaru）

本週，我們將再次以之前實驗過的主題為基礎，繼續往前，現在開始與我們的英雄連結。我們常常希望能遇到某個人——動畫師可能希望遇到華德・迪士尼，作詞人可能希望遇到奧斯卡・漢默斯坦二世（Oscar Hammerstein II）——但我們會發現，只要有一點開放和想像力，就可以比想像的更容易、也更親密地與這些英雄連結。

讓英雄說話

我們現在已經來到聆聽之路的第五週。到目前爲止，你已經做好嘗試的準備，練習了聆聽自己和他人，也仔細聆聽在世與離世的親友。最近，你聆聽了喜愛和崇敬的靈魂。現在，你將嘗試聆聽欽佩但不認識的靈魂——簡而言之，就是你的英雄。

正如與摯愛的人連結感覺非常容易，與我們的英雄連結也很簡單。同樣的，重要的是意圖。必須抱持純粹的渴望去接觸，英雄就會回應我們的明晰。我們先了解自己，回答以下問題：「我們眞正欽佩的人是誰？」

記住你是誰的一種方法，是記住你的英雄是誰。

——沃爾特・艾薩克森（Walter Isaacson）

每個人認定的英雄都不同。問起自己欽佩誰時，答案可能會讓自己大吃一驚。我們並不總是欽佩那些應該欽佩的人。相反的，我們就是有打從心底欽佩的對象。英雄符合我們的價值觀，如果重視教育，英雄可能是一位偉大的老師，就像已故的喬瑟夫·坎伯（Joseph Campbell）；如果重視膽識，可能會認爲愛蜜莉亞·艾爾哈特（Amelia Earhart）是英雄；如果熱愛馬匹，那麼你的英雄可能是作家迪克·弗朗西斯（Dick Francis）；諸如此類。當我們命名並認定自己的英雄時，會感到一種連結。我們可能會尋求英雄的指引，以讓這種連結的火花更進一步發展。指引會找到我們，出乎意料之外的敏銳也會精準滿足我們的需求。

毫無疑問，英雄對我們的回應慈愛又精準。如果我們帶著明晰說出英雄的名字，他們會接著指出我們的需求——即使這些需求並未說出口。

我寫信給戒酒無名會的聯合創辦人比爾·威爾森（Bill Wilson），欽佩他的原因是他敢於創立戒酒會的活動。他需要相信對他有用的，對其他人也有用，而寫下自己從酗酒中復原時採取的步驟作爲藍圖，需要莫大的勇氣。他勇於假設，拯救自己的也能拯救別人。他成爲他創建的工具的樣本。現在有數百萬人跟隨他的腳步。

生命建立在我同胞的付出之上，無論是生者還是逝者。

——愛因斯坦

威爾森迅速而熱情地回應我，並告訴我，我幫助人們寫作是很棒的服務。我獲得保證，我和我的工作在他的回應下，都有一席之地，這也解決了我一直未說出口、認為我的工作其實已過時的擔心。

我發現威爾森非常平易近人。我很感激他的正向回饋，寫道：「我能聽到比爾．威爾森說話嗎？」我「聽到」以下的回答，「茱莉亞，妳做得很好，妳的耐心將得到回報。沒有必要焦慮，妳穩定地走在正軌上。別絕望，也毋須擔心。向我尋求指引和啓發。我會帶領妳，妳會聽到堅定而穩定的聲音。妳毋須煩惱。妳可以寫，而且寫得很好。敞開心扉尋求指引，讓自己受到引導。」

在更正式的筆記中，我寫信給心理學大師榮格博士。榮格敢於觀察、列舉和描述心靈的運作。在他發表理論之前，心靈仍是個謎。因為他的理論，我們知道如何形容：我們遭遇的不是某樣模糊的東西，而是我們的「陰影」；我們有原型，得以描述一直以來顯得神祕難解的心靈圖像。「為其命名並加以主張。」榮格挑戰我們。跟隨他的帶領，人的心靈不再是未知的領域。榮格客觀地觀察心靈，爲他所看到的命名，因此繪製了人的心靈地圖。而他的心靈地圖是英勇的事業，他先是面對奚落，然後是同齡人的蔑視——他的勇敢給了我們一張路線圖。我們的心靈現在可以平安無事地得到探索，都是榮格爲我們開路。

他的回應更冷靜、更理智。像威爾森一樣，他竭力向我保證我的工作很重要。他的關注讓我放心。我尊重他的工作，也因爲他尊重我的工作感到安心。

我寫信給榮格博士，並收到回覆。「卡麥隆女士，妳正走在正軌上。妳有很多可以貢獻出來的才能，也有很好的表達能力。現在妳正在補充庫存。要追尋深度而安靜的生活，有很多事可說。閱讀阿涅絲．寧（Anaïs Nin）的作品，妳會過得更好，並從中得到很多養分。」

榮格提到寧讓我感到驚訝。我當然知道榮格和寧是同時代人，但他對她的熱情出乎我的意料。在他的推薦下，我訂購了她的一本著作。我上次讀她的作品已是四十五年前的事了。

生命會根據你的勇氣縮小或放大。

——阿涅絲·寧

想到榮格與寧的連結，讓我覺得更有意義。她的日記詳細記錄日常生活，而榮格鼓勵病人抱持相同的生活態度。對於勇敢自我表露的人，他給予援助。我想起他的一個病人，他對一位酗酒者進行了極端的診斷，告訴他想要康復，必須有「重要的靈性體驗」。他對這個病人介入很深，難怪會受到寧的私人生活吸引。她的描述正符合他的興趣。

威爾森和榮格兩人曾有過愉快的通信。榮格贊同威爾森的信念，即酗酒需要靈性治療。榮格關注這個當時剛剛起步的運動，深深打動了威爾森——那場運動之後成爲數以百萬人參加的戒酒無名會。

寫信給威爾森和榮格讓我感受到深刻的個人指引。兩個人都說，我走在正軌上，而我很高興聽到這個消息。一個鮮爲人知的事實是，威爾森在有生之年「曾與逝者接觸」，把練習與逝者溝通作爲靈性生活的規律活動。他不願意公開對神祕學的興趣，因爲擔心會被認爲太過「臆想」。他不希望戒酒無名會被貼上太超自然的標籤。我最近有幸閱讀了威爾森的三十多封私人信件，這些信件揭示了他深刻而持續的信念，即死後靈魂的生活是可及的——而且很有助益！當我第一次寫信給威爾森時，他回答他「很高興」我「和他有共同的興趣」。因此受到鼓舞的我，定期寫信給他，而他熱情而充滿活力地回覆了我的來信。

寫信給我們的英雄並和對方建立連結，提供了勇氣和指引。聽到英雄對我們的個人事務發表看法，因此了解自己的生命很重要。我們確信自己的困境值得高度關注，而他們的解析很深刻，絕非無關緊要。

我們非常需要一個能激勵我們成爲自知可以成爲的人。

——愛默生

我們一開始可能會擔心打擾到英雄，但只要他們回答我們的問題，就能了解他們並不在意——反而對我們的事情很感興趣。因爲請求指引，就得到明智的指引。與高我交談時，收到的建議可能簡單而直接。最重要的是，其中有愛，就好像我們的英雄現在更加英勇。英雄指引我們，但反過來，他們可能會得到偉大造物主的指引。

不用擔心問題無關緊要到不足以引起他們的注意，他們看來擁有無限的智慧和耐心。「關於X，我該怎麼做？」我們詢問。他們的回應照顧到X和我們。起初，我們可能會對他們的智慧感到驚訝；隨著時間過去，我們開始期待。

「我擔心X，」我們可能會寫，但答案是：「不需要擔心，你受到妥善的指引。」一遍又一遍，他們的建議讓我們正視當下，不自尋煩惱，而是要有信心。「你在我們的監護之下，」我們獲知，「你受到安全的保護。」漸漸的，我們越來越有安全感。我們從英雄那裡聽到的建議值得信賴，我們確信「這裡有許多人關心你的幸福」，並在指引的鼓勵下，學會信任。

關注我們的不僅是我們的英雄，還包括其他人。我們開始感覺到那些可能被稱爲「更高的力量」——關心我們幸福的仁慈存在。提及更高的力量時，我們可能會聽到對方慈愛地稱我們爲「小傢伙」。與更高的力量相比，我們確實很小，就像被抱在懷裡的嬰兒。起初我們可能會抗拒這樣的稱呼，但當時間過去，我們變得放鬆並開始懂得欣賞這樣的稱呼。我們開始聽到平安，開始珍惜受到珍惜的感覺。

英雄善待我們。我們可能懷疑自己與他們的連結，但他們並不懷疑。當我們和他們連結時，就會來到你我身邊。當我們提出問題時，他們會迅速而仔細地加以考慮。

有時候問題很複雜，答案卻很簡單。

——蘇斯博士

因此，我再次要求聽取威爾森的意見，他立即回應：「茱莉亞，我能聽到妳，並祝福妳。有一個適合妳和妳工作的地方，不用擔心。我發現妳穩定而快樂。妳會有好事發生。妳受到妥善的指引。不要害怕力量減弱；相反的，去慶祝勝利。妳會寫得很好。」

接下來我再次寫信給榮格，我聽到：「卡麥隆女士，很高興收到妳的訊息。妳正站在門口，當妳請求更高的力量守護和引導妳時，就能安全通過。依靠靈性的幫助。妳和靈性有很好的連結。」

試試看

拿起筆，寫信給你的英雄。請求對方指引你，並寫下你聽到的指引。不要對你如此輕易收到指引感到驚訝。聆聽之路建立在自身之上。你受到妥善的指引。

風中低語

我醒得很早——太早了。我蜷縮在毯子裡，但是沒用。睡眠是一種記憶。清醒躺著的我聽到花園裡鳴鳥在歌唱，從杜松飛到矮松。雪已融，天氣變得暖和。天空湛藍，雲朵潔白。一夜之間，花園裡的鳶尾花盛開，潔白如雪，宣告的卻是春天，而不是冬天。就像鳴鳥一樣，鳶尾宣揚著季節的更迭。

現在我聽到呼呼聲。起風了。預測風速達到每小時八十公里。我很感激今天沒有搭飛機的行程。每小時八十公里是飛機可以起飛的極限速度。聖塔菲四月和五月的風很出名。我從臥室走到客廳。一棵矮松「唰」一聲掠過玻璃窗。也許是因爲我童年時住在中西部曾遇過龍捲風，所以風聲讓我緊張。莉莉也很緊張。她擔憂地望著窗外，凝視著擺動的矮松。

「莉莉，沒關係，」我告訴她，「我們這裡沒有龍捲風。」我舒緩的語氣讓她平靜下來。她走到我身邊，用鼻子蹭著我的腿。我在客廳聽到顫抖的聲音。風讓煙囪發出咯咯聲響。

任何你能想像的事都是眞實的。

——畢卡索

「也許我們這裡眞的有龍捲風。」我發現自己這麼想。莉莉撤退到她最喜歡的藏身之處：衣架後面的角落。她蜷縮成一團，決定要等風停。我仍然穿著睡衣，也蜷縮在客廳的雙人沙發上。風的聲音很原始。我非常害怕。和往常一樣，我緊張時會開始寫作。我決心寫三頁的晨間隨筆。「刮風了，」我開始書寫，「風很大。」刺耳的電話聲響起，我急忙接聽。

來電的人是我的朋友傑伊．史丁內特（Jay Stinnett），他是亞利桑納州塞多納瑪歌靈修中心（Mago Retreat Center）的學程主任。他用愉快的聲調向我打招呼：「妳好，我美麗的朋友。」

我們直接進入主題。傑伊正在寫一本書，主人翁是我的英雄——戒酒無名會的聯合創始人威爾森。傑伊每天早上四點三十分起床，然後開始寫作。他醒來的時候，腦海經常浮現出他要寫的第一行，於是服從這個指引。但是，他告訴我，這本書很艱難，進度緩慢，一次只能寫一頁。我告訴他我也在寫一本書，書中也提到威爾森。

「書名叫做《聆聽之路》。」我告訴他。

「啊，是這樣啊。」他回答。

傑伊在靈性道路上擁有三十五年的資深經驗，長期實踐聆聽。當我告訴他我關於威爾森的章名為〈聆聽英雄〉時，他理解地笑了起來。威爾森是他和我的英雄。傑伊可以取閱威爾森數百封的私人信件，在其中，威爾森描述了對通靈術的濃厚興趣。

「我沒有通靈的經驗，」傑伊告訴我，「但現在我真的樂在其中。」他講述了和妻子艾黛兒對紐約莉莉戴爾小鎮一間靈性中心爲期一週的訪問。「它位於紐約僅存的兩片古老森林之一。裡面有八十戶人家，只有認證的靈媒才能住進去。」傑伊停頓了一下，讓八十位靈媒的概念深入我心，然後繼續說，「他們每天舉行三次聚會，讓靈媒爲觀衆進行冷讀術，我們肯定看了上百次示範。冷讀術進行的時間非常簡短，但中肯又扼要。在那裡的時候，我們的靈媒朋友麗莎．威廉斯（Lisa Williams）和戒酒無名會的聯合創始人威爾森和鮑伯．史密斯（Bob Smith）博士一起進行了冷讀術。鮑伯博士一直在開玩笑。」

夢想成眞可能讓生活變得有趣。

——保羅．科爾賀

我告訴傑伊自己與鮑伯博士連結的經驗，他說：「我比我的名聲所允許的要輕鬆愉快得多。」

「對，就是那樣！」傑伊驚呼。傑伊深情地談到靈魂，他與靈魂的互動都很正面，輕鬆又可信賴。根據他的經驗，生死的界線很容易穿越。與他交談後，我認為自己的經歷得到了驗證。

我回到床上。臥室裡的風聲沒那麼大。我決心彌補錯過的睡眠，蜷縮在毯子裡，幾乎睡著。「砰！」莉莉跳到我身上，在毯子下用前腳做出挖洞的動作。我置之不理，一動也不動地躺著，逐漸睡著。

幾個小時後，當我醒來，莉莉仍然依偎著我睡著。但是風，那場地獄之風，幸運地消失了。

試試看

找出已經逝去的英雄。要求和對方連結，並寫下你聽到的內容。

本週回顧

你有沒有繼續晨間隨筆、藝術之約和全心漫步？

當你有意識地聆聽你的英雄時，有什麼發現？

你是否發現意料之外的智慧？

你經歷過抵抗嗎？你抵擋得住嗎？

說出一次難忘的聆聽體驗。對你來說，帶來的領悟是什麼？

第6週 聆聽寂靜

在英文中，「listen」（聆聽）與「silent」（寂靜）這兩個詞，包含相同的字母。

——艾佛列德・布蘭德爾（Alfred Brendel）

在最後一週將有意識地尋求寂靜。我們如今已擅長以多種方式聆聽，接下來將嘗試另一種方式：聆聽寂靜。學習如何在周圍創造寂靜，以及如何從中獲得洞察。我們將了解寂靜爲自己帶來什麼，以及沒有聲音如何創造連結，而非孤立。

寂靜的價值

聆聽之路的第六週可能會讓你覺得這不算是個主題。你已經學會了敏銳地聆聽聲音，現在你還要練習敏銳聆聽寂靜之聲。

沒錯：寂靜。正是透過聆聽無聲之聲，我們才能體會到有聲之聲。

寂靜是上帝的語言；其他一切都是糟糕的翻譯。

——魯米

寂靜需要習慣，而我們已經習慣了聲音。體驗到無聲之聲時，就接觸到了更高的智慧。我們的思緒飛馳，接著慢下來，在安靜中停息。就在那時，我們開始聽到「心靈深處的呼聲」，這樣的聲音可能實際上顯得非常大。隨著時間流逝，會感覺受到指引，有了方向感，知道下一步該怎麼做。在寂靜中，我們聽到造物主的聲音。聆聽之路變得更深、更豐富。一種極大的平靜占據了所有感官。

寂靜一開始讓人感覺受到威脅，我們在它意想不到的空虛中顫抖。習慣虛空時，會發現它一點也不空，反而充滿某種仁慈的「存在」，一種對我們好、更高的力量。靠近這種存在時，寂靜變得親切。了解「無」包含「有」時，對虛無的恐懼就會消失。

聆聽之路需要關注，沒有什麼比寂靜更能吸引注意力。若用力去聽某件事——任何事——聆聽會變得敏銳，最微弱的聲音都能吸引我們的注意力。我們聆聽聲音，也聆聽無聲——聲音之間的聲音。我們投入當下，聆聽每一刻，思維變得開闊。

每一刻都緩慢展開。我們不在意速度，以便專注。一開始覺得倦怠，卻又發現其實很有意思。隨著心跳感覺到身體的節奏，感受到和平這個迄今爲止未知的特質。我們體驗平靜及有趣的感覺。

我發現，其實你聽得到寂靜。

——村上春樹

聆聽寂靜，我們體驗到心靈深處的呼聲。我們在靜心，雖然可能不這麼稱呼。聆聽寂靜，會聽到宇宙偉大而鏗鏘有力的聲音。在什麼都沒有的地方，一種偉大戰勝一切。

聆聽寂靜時，它很快就會來臨。不消一兩分鐘，我們就在當下。時間感消失了。只坐了幾分鐘，感覺就像幾小時；坐了幾小時，感覺卻像幾分鐘。十分鐘的「禪坐」過得很快——而且很慢。宣告時間結束的鑼聲在心中一再迴響。鑼聲雖輕但響亮，因爲我們已經習慣寂靜。

將注意力轉回世間，會發現思緒變得清晰。在寂靜中度過的時間已經完成階段性任務。感官活躍又警覺。我們走在聆聽之路上。

試試看

把計時器設為三分鐘。閉上眼睛，讓寂靜滋養你的靈性。即使是極短的靜心也是滋養。在接下來的一週增加進度，每天多三分鐘。到了週末，將可達到二十分鐘，這是大多數靈性導師會指示的時間。

尋找寂靜

「但是，茱莉亞，我怎麼樣也找不到安靜的地方！」經常有人這麼告訴我。尋找寂靜並不容易，但值得一試。曾有學生告訴我，在游泳池裡游泳可以找到最棒的寂靜和最好的洞察。在水下，世界感覺很遠，不一樣的聲音環境使他們與自己更接近。有些人住在城市裡，無時無刻不聽到警笛、鄰居或過往車輛的聲音；有些人則生活在混亂的家庭環境中，有電視、孩子，還有寵物，似乎沒有機會找到寂靜。對於那些生活中無處尋覓安靜的人，我建議你探索各種可能性。

寂靜就是祈禱。

——德蕾莎修女

城市人莎拉發現，中午的教堂比她想像中安靜得多。「我不信教，」她解釋，「但我會走進教堂，坐在那裡聆聽幾分鐘。那裡安靜得驚人。我可以離開城市街道，進入意想不到的寧靜綠洲。起初我覺得有點不安，但在讓自己臣服於無聲並聆聽寂靜之後，我發現教堂是提供極大平靜和洞察力的地方。」

也有人選擇去圖書館，那裡一排排不說話的書籍提供了安靜的慰藉。有些人仍然會刻意開車到安靜的地方，例如空的停車場或小路上，並且花點時間聽聽車內的寂靜。葛瑞塔是有三個孩子的忙碌媽媽，她說有時她只是停在家裡的車道上。「聽起來可能很奇怪，」她告訴我，「但對我有用。如果我出門辦事或送孩子去學校，有時只會在車裡待一兩分鐘——只要自己在車裡，即使是很短的時間，我都有機會讓自己在安靜的空間獨處。這麼做讓我知道自己的方向，總是能平靜下來。」只是靜靜坐著，在能找到的最安靜的地方聆聽，就能讓感知發生驚人的劇烈轉變。最常見的是，有人告訴我，停下來聆聽寂靜會帶來平靜，以及一切都有可能的感受。對我來說，我知道其言爲眞。

「寂靜讓我感到害怕，」我的朋友傑瑞承認，「當我眞正聆聽寂靜時，我覺得脆弱，知道自己會想逃避。我家中的電視總是開著，一上車就轉開收音機，跑步時也一定會聽音樂或播客。我非常依賴所有的設備——以及隨之而來的雜音。我想我害怕與我的思緒獨處。」

大多數人都非常害怕寂靜。

——康明思

我告訴傑瑞，他說的應該沒錯，但我會鼓勵他嘗試一下。「要不要試試五分鐘的寂靜？」我提議，「或是兩分鐘也好？當作實驗？」

「我可以試試，然後回電給妳嗎？」他說，我從電話中都可以感受到他的焦慮。

「隨時都可以聯絡我。」

幾分鐘後，我的電話響起，傑瑞打電話來報告結果。「我關掉了房子裡的所有噪音，然後坐下來聆聽，」他說，「感覺很陌生，讓我很緊張，但也很有趣。我想起某件今天必須做的事，並且對應該怎麼安排一週的工作時間有了一些想法。」

「聽起來像是洞察。」我回答。

「我想我會再試一次。」他說。我微笑著掛上電話。

對於所有的罪惡，有兩種補救措施——時間和寂靜。

——大仲馬

我一再看到學生和朋友對尋求寂靜感到緊張。對大多數人來說，這確實是陌生的體驗。即使是在安靜的地方過著安靜生活的人，周遭也往往充滿熟悉的聲音，無論是電視、收音機，還是手機的提示音。我也再三看到從中創造寂靜並且深入聆聽的價值。走出舒適圈，我們找到了可能。寂靜中自有答案。

試試看

創造或尋找盡可能安靜的環境。也許是教堂或圖書館，又或者是在家裡，把所有設備關閉。無論選擇什麼，讓自己去尋找——然後進入那樣的環境。如果你感到抗拒，要特別留心。你是否因為擔心手機關機會錯過某些東西而感到緊張？如果沒有背景中的人或電視的喋喋不休，你會感到不安嗎？允許自己抵擋自己的抗拒。

靜默幾分鐘，有意識地聆聽。焦慮是否消退？你「聽到」洞察或想法嗎？你是否感覺到與更高力量的連結？當你重新進入熟悉的聲音世界，聲音是否更加明顯？你對此有新的見解嗎？從無聲到有聲後，平靜的感覺是否一直伴隨著你？可以試著建立習慣，像任何習慣一樣，這可以透過練習變得更加自然。

聆聽神的聲音

我和朋友史考蒂在聖塔菲燒烤酒吧一起吃午飯。她戴著喜慶的漸層紅色時尚眼鏡。我詢問有關眼鏡的資訊，並決定去她推薦的市中心眼鏡行瞧瞧。「那裡有很多歐洲的設計款，」她告訴我，「而且眼鏡很有意思。我幾乎所有顏色都有一副——我喜歡用眼鏡來搭配造型。」

我告訴她我完成這部著作。她很激動；她對我來說始終是充滿熱情的相信鏡，在寫作過程中對我充滿信心，激勵我繼續前進。

「結尾如何？」她想知道。

「嗯，內容是聆聽寂靜。」

她開心地笑了。「對，對。」她點點頭。「妳知道我每天早上都靜坐，每天晚上也經常如此。」她分享道。

我點點頭。

寂靜有時是最好的答案。

——第十四世達賴喇嘛

「我焚香，甚至和狗一起靜坐。牠們已經學會靜坐。」她平靜地說。

我笑了笑，不確定自己能不能訓練莉莉做同樣的事情。

「在寂靜中，」史考蒂繼續說，「我聽到了神的聲音。」

我感興趣地看著她的眼睛。「是的，」我同意，「我懂。」

「我了解到，花些時間靜坐，總能找到尋求的指引。」她繼續說。我相信她並不孤單。我自己也有相同的感覺，我知道許多人也採用類似的做法，並從更偉大的力量中獲得了更高的洞察力——他們可能會也可能不會選擇稱這樣的力量為

「神」。

「怎麼稱呼它並不重要，」我經常告訴學生，「重要的是，要保持開放態度，接受可能提供的幫助可能會比你想像得更多。」如果我們願意尋求更高力量的指引，就會受到帶領和鼓勵。

我想到了禁語的傳統，它們直接或間接喚起了某種更偉大的存在，其中包括爲正在受苦或迷失的人「沉靜片刻」；作爲在女子修道院或男子修道院與上帝接觸的途徑的默想傳統；在哀悼死亡時與他人保持沉默的本能做法；直接尋求幫助時默禱的概念；附近的人感到痛苦時，想要保持沉默並爲其「保留空間」的衝動。在以上情況中，我們很自然地願意——甚至尋求——來自超越我們力量的支持。

是的，寂靜很有力量。是的，在寂靜中，我們可以尋求——並聽到——仁慈之存在的聲音。

寂靜是偉大力量的源泉。

——老子

試試看

現在請你以開放的心態嘗試。不一定要使用「神」「上帝」這些詞來描述你願意與之連結的更高力量。我生長在天主教家庭，也是天主教徒，經常將這種成長描述為「朝向無神論的滑坡」。當我清醒時，我的長輩告訴我必須相信更高的力量——我拒絕了，解釋說這對我來說不可能。

「妳不必稱之為上帝。」他們建議我。所以我決定相信狄蘭．湯瑪斯的一首詩中的一句話：「通過綠色引信點燃的力量催生的花朵」。我仍然相信這種力量。我相信它代表了創造的力量——創造力和靈性——我相信是同樣的力量。

所以請你找到任何版本的更高力量，然後靜坐，對其敞開心扉。你可以安靜坐著聆聽，可以在心裡提出問題或表達擔憂——以對你而言最緊迫的事情開始。

你「聽到」指引了嗎？你感受到和平嗎？或者只是某種程度的解脫或放鬆？允許自己嘗試對寂靜敞開心扉，並寫下你的發現。

鄰居歡欣鼓舞

蓬鬆的白雲籠罩著山峰。微風吹動矮松。莉莉戴著新的「防吠」項圈在外面巡邏。當她吠叫時，項圈會啓動狗討厭的香茅噴霧。她很快就會知道吠叫會使人不快。我打電話給鄰居，告訴他們我採取的措施。今晚，大家都能尋得平靜。

尼克．卡普斯廷斯基救了我，向我解釋項圈的複雜使用說明，並將之穩穩繫在莉莉的脖子上。當他調整項圈時，莉莉在他的膝蓋附近打轉。他一邊工作一邊和她說話。莉莉對這種關注欣喜若狂。

「好了，女孩，妳戴上新項圈看起來眞漂亮。妳眞是個花俏的姑娘。讓我弄好，變得更服貼一點。好了——看起來近乎完美。妳眞是個好女孩。」

> 我開始了解，你可以聆聽寂靜並從中學習。寂靜有自己的品質和規模。
>
> ——柴姆．波托克（Chaim Potok）

尼克離開後，他的讚美還在空氣中揮之不去。當莉莉回到家裡，我模仿他——多和莉莉說話。

「乖女孩，」我告訴她，「乖女孩，妳眞是隻可愛的小狗。」莉莉躺下，伸展全身，扭動脖子，適應新項圈。但她不叫，甚至連低吠都沒有。

我打電話給艾瑪，告訴她尼克的善意干預。

「所以這個項圈會噴她，而不是嚇她？」艾瑪問道。

「對。」

「這樣好多了。」艾瑪和尼克一樣是愛狗人士。

「我也這樣想。她可能不喜歡噴霧，但至少不會受傷。今晚她應該會很安靜。我這麼希望。」

和艾瑪通完電話，我又把注意力轉移到莉莉身上，問她：「妳聽到了嗎？今天晚上不要叫。」莉莉沒有看我的眼睛。她可能懷疑我是她新項圈背後的壞蛋。

經過了一整天，已屆黃昏。我和鄰居度過了沒有吠叫的夜晚。我打電話給尼克告訴他我們的勝利。他說：「莉莉是聰明的狗。她可能已經發現只要她叫就會被噴。」莉莉整天不叫，甚至連低吠都沒有。尼克可能是對的，她已經清楚因果關係：吠叫會啓動噴霧。

「妳眞聰明。」我告訴她。無論是因爲我的語氣還是她眞的了解，她都沉浸在讚美中。她的尾巴拍打地板，然後走到我身邊和我玩。「妳眞是乖孩子，」我告訴她，「眞聰明。」我注意到我的處境有點諷刺：當我在寫一本關於聆聽的書時，我的狗用她的噪音打擾了鄰居——至少我們找到了解決辦法。

試試看

你已經完成了六週的聆聽練習。你在環境中注意到或創造了哪些變化？你是否覺得與周遭環境、人，以及更高力量的連結更加緊密？你有沒有注意到你聆聽的對象發生了變化？當你更加仔細聆聽時，他們和你一樣嗎？

本週回顧

你有沒有繼續晨間隨筆、藝術之約和全心漫步？
當你有意識地聆聽寂靜時，有什麼發現？
你是否發現和自己的連結更緊密？
你經歷過抵抗嗎？你抵擋得住嗎？
說出一次難忘的聆聽體驗。對你來說，帶來的領悟是什麼？

後記
和我一起沿著聆聽之路旅行

美好的春天已經來臨。果樹盛開出歡喜的花朵；空氣中瀰漫著連翹和丁香灌木的香氣；在一棵新綠的柳樹上，鳴鳥唱出一連串樂聲；小莉莉的視覺和聽覺都很敏銳。冬天的寂靜已經過去，接下來的春天、夏天和秋天這三個歌唱的季節值得期待。聆聽之路已經成熟茁壯。

想要走出家門陶冶感官很容易，鳥兒歡快的顫音振奮人心。「你到哪裡去了這麼久？」我們在心裡問。「沒關係，我們現在回來了。」鳥兒回答。

在寂靜中有雄辯。停止編織，看看圖案如何改進。

——魯米

冬天裡有寂靜，或是烏鴉嘶啞的叫聲。春天的鳥兒輕聲歡唱，衆鳥齊鳴。樹梢的奏鳴曲響起。火力全開的合唱迎接新的一天。一隻安靜的甲蟲跋涉過莉莉的面前。被聲音迷住的莉莉沒有理會，走近朋友歐提斯的遊戲場，在春天的空氣中以柔和而悅耳的低音問候。歐提斯用男低音般的聲音回應了她。他是一隻大狗。

回到家，莉莉在門口晃來晃去。她知道，爽脆的狗糧正等著她。散步使她食欲高漲。當我安頓下來寫作時，她專心地用力咀嚼，狗牌在碗邊上像小鈴鐺一樣清脆作響。她突然停止進食。我聽到她的腳步聲在瓷磚地板上掠過。她正在追逐一隻不知怎麼溜進屋內的黃色蝴蝶。

我希望你和我一起沿著聆聽之路旅行，而這段旅程對你來說很有收穫。我希望每一種聆聽方式都成爲你的習慣；你可以輕鬆穿梭其間，注意周圍環境，與認識的人建立連結，並在需要時連結你的高我、摯愛、英雄，甚至寂靜。聆聽之路的工具便攜免費，隨處可用，適用任何場合。我的經驗是，深入聆聽總是值得，也一定會有收穫。

我走進院子裡，呼吸著清新的春風。

高大的白樺樹在午後的陽光中閃閃發光，樹葉發出沙沙聲，聽起來像搖曳的樹枝末端綁著會發出雨聲的雨棍。聽著這樣的聲音，我與周遭的世界連結。而在與周遭世界連結的同時，我聆聽。

誌謝

珍妮特．艾考克（Jeannette Aycock）的指引，
史考特．貝爾庫的照顧，
傑洛德．哈克特的忠誠，
艾瑪．萊弗利的藝術才能，
蘇珊．勞霍夫的勤奮，
多梅尼卡．卡麥隆—史科西斯（Domenica Cameron-Scorsese）的信任，
艾德．陶爾（Ed Towle）的信念。

Eurasian Publishing Group
圓神出版事業機構
用心與你對話·視野無限寬廣
方智出版社
Fine Press

www.booklife.com.tw　reader@mail.eurasian.com.tw

方智好讀 146

聆聽之路：

療癒寫作教母帶你聽見自我、以聽療心、寫出能力

The Listening Path: The Creative Art of Attention

作　　者／茱莉亞·卡麥隆（Julia Cameron）
譯　　者／張毓如
發 行 人／簡志忠
出 版 者／方智出版社股份有限公司
地　　址／臺北市南京東路四段50號6樓之1
電　　話／（02）2579-6600·2579-8800·2570-3939
傳　　真／（02）2579-0338·2577-3220·2570-3636
總 編 輯／陳秋月
副總編輯／賴良珠
主　　編／黃淑雲
責任編輯／陳孟君
校　　對／溫芳蘭·陳孟君
美術編輯／蔡惠如
行銷企畫／陳禹伶·王莉莉
印務統籌／劉鳳剛·高榮祥
監　　印／高榮祥
排　　版／莊寶鈴
經 銷 商／叩應股份有限公司
郵撥帳號／ 18707239
法律顧問／圓神出版事業機構法律顧問　蕭雄淋律師
印　　刷／祥峰印刷廠
2021年12月　初版

定價 360 元　ISBN 978-986-175-648-6

你本來就應該得到生命所必須給你的一切美好！
祕密，就是過去、現在和未來的一切解答。

——《The Secret 祕密》

國家圖書館出版品預行編目資料

聆聽之路：療癒寫作教母帶你聽見自我、以聽療心、寫出能力 / 茱莉亞．卡麥隆（Julia Cameron）作；張毓如譯. -- 初版. -- 臺北市：方智出版社股份有限公司, 2021.12

288 面；14.8×20.8公分 --（方智好讀；146）
譯自 : The listening path : the creative art of attention
ISBN 978-986-175-648-6（平裝）
1. 靈修 2. 傾聽

192.1　　110017283

Far in the distance,
a horn honks on the main throughway.
Wings flutter as a bird lights to the sky,
gliding away and out of sight.
Nearby, the songbirds' chatter has slowed,
but they still sing,
a tuneful discussion in the greenery above.

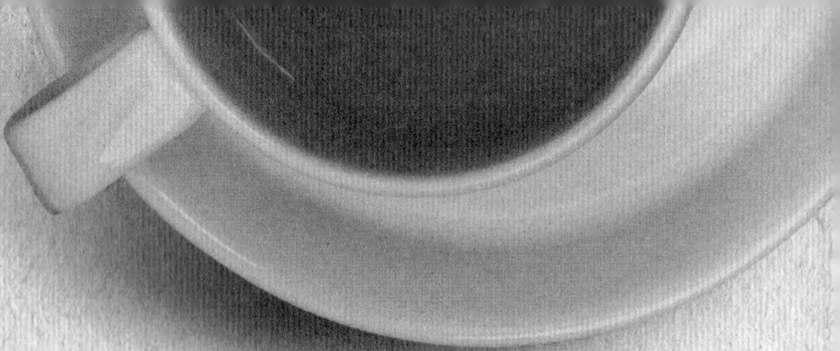

Earlier, it sounded as if they were all speaking at once.
Now they seem to be taking turns.

Are they listening to each other?
And what does it mean, to listen?
What does it mean for us in our everyday lives?

We listen to our environment, whether it is the chirping of birds or the commotion of the city streets—or perhaps we don't listen, tuning it out instead.

We listen to others—or perhaps we wish we listened better.

Others listen to us—or we wish they did.